# Alles over digitale fotografie

Maartje Heymans & Ruud de Korte

# Alles over digitale fotografie

Consumentenbond

*Dan weet je het.*

1e druk, juni 2009

Auteurs: Maartje Heymans & Ruud de Korte
Verder werkte mee: Karen Reijneveld, afdeling Onderzoek Consumentenbond
Eindredactie: Vantilt Producties, Nijmegen
Foto's: istockphoto
Grafische verzorging: Het vlakke land, Rotterdam

ISBN: 978 90 5951 115 6
NUR: 473

# Inhoud

# Inleiding

De digitale camera heeft heel wat veranderd in de wereld van de fotografie. Iedereen is nu eigenlijk overstag. Geen wonder, want foto's maken en bewerken is de afgelopen jaren een stuk eenvoudiger geworden. Maar ook nu kunt u niet zonder een zekere basiskennis. In dit boek leest u daarom niet alleen hoe een digitale camera werkt en op welke manier u de mooiste foto's maakt, maar ook hoe u foto's kunt bewerken voor een optimaal resultaat. Een computer en fotobewerkingssoftware zijn daarbij onmisbaar.

Hoofdstuk 1 gaat over de digitale camera zelf: wat zijn de kenmerken en de vele voordelen en waarop moet u letten als u een camera aanschaft? In hoofdstuk 2 krijgt u informatie die nuttig is voordat u met fotograferen begint, zoals over de opbouw van beelden, over kleur en kleurdiepte en over beeldformaten en -bestanden. Welke mogelijkheden een digitale camera precies biedt, leest u in hoofdstuk 3. Denk aan programmakeuze, scène-instellingen en belichting.

Daarna is het tijd voor de praktijk. Hoofdstuk 4 schenkt aandacht aan oefenen, licht, compositie, perspectief en afstand, met tips over fotograferen in de natuur en werken met mensen en dieren. Hoofdstuk 5 is gewijd aan het beheren van foto's. Hoe bekijkt u ze op de tv of de computer, hoe zet u ze over naar de computer, hoe behoudt u het overzicht, enzovoort. In hoofdstuk 6 krijgt u uitgelegd hoe u foto's bewerkt, onder meer met Picasa en Adobe Photoshop Elements. Hierbij kunt u gebruikmaken van de oefenbestanden die u kunt downloaden van de website van de Consumentenbond www.consumentenbond.nl/ allesoverdigitalefotografie. Hoofdstuk 7 ten slotte, vertelt u hoe u uw foto's kunt laten zien aan de buitenwereld. Op internet via een webalbum zoals Picasa, een netwerksite zoals Hyves of Windows Live Spaces of via een speciale fotosite zoals Flickr. Of gewoon 'ouderwets' afgedrukt op papier: via de eigen printer, een online afdrukcentrale of in een mooi fotoalbum.

Met dit complete handboek kunt u meteen aan de slag. De informatie is geschikt voor Windows én Mac. We wensen u veel plezier bij het ontdekken van de mogelijkheden van uw digitale camera.

## Gebruikte symbolen en aanduidingen

**1**     Een rood cijfer gaat vooraf aan een opdracht. Voer deze opdracht direct uit om de uitleg stap voor stap te volgen. De opdrachten zijn per onderdeel genummerd.

     Na dit symbool volgt een belangrijke mededeling of een waarschuwing.

     De tekst na dit symbool bevat een tip.

**[Afdrukken]**     Tekst tussen vierkante haken verwijst naar een knop in een venster. Daarop kunt u klikken om een bepaalde handeling uit te voeren.

*Bestand*     Een gecursiveerd woord verwijst naar een veld, een menukeuze of een keuze in een venster. Ook Engelse termen staan de eerste keer cursief (*geotagging, low ink,* enzovoort).

**Adressenlijst**     Vetgedrukte blauwe tekst is opdrachttekst. Deze moet u intypen om een handeling goed te kunnen uitvoeren.

**<F4>**     Woorden of codes tussen vishaken verwijzen naar toetsen op het toetsenbord

Vrijwel iedereen heeft inmiddels een digitale camera – de analoge variant is bijna helemaal verdrongen. Een digitale camera registreert beelden punt voor punt via een sensor en legt de gemeten waarden vast in het geheugen als een bitmap. Deze bitmap(afbeelding) kan uiteraard op een computer worden getoond en worden afgedrukt.

## 1.1   Geschiedenis van de fotografie: camera obscura

Camera's zijn niet uit de lucht komen vallen. De basistechniek bestond allang voor ze in de huidige vorm werd toegepast. De naam 'camera' is afkomstig van de term 'camera obscura', Latijn voor donkere kamer. En op zijn beurt is de naam 'doka' (waar de fotograaf zijn foto's ontwikkelt) hieraan ontleend. Een camera obscura is een verduisterde ruimte waarbij in een wand een gaatje is aangebracht. Het door het gaatje vallende licht werpt een afbeelding van de buitenwereld op de tegenoverliggende wand, op z'n kop en gespiegeld. Een bijzonder aspect van de camera obscura zonder lens is dat de opnamen een oneindige scherptediepte hebben (§3.3a). In de Victoriaanse tijd werden camera obscura's gebouwd ter grootte van een huis, waar men tegen betaling een blik kon komen werpen op de omgeving.

*Een camera obscura uit het* Sketchbook on military art, including geometry, fortifications, artillery, mechanics, and pyrotechnics

De camera obscura werd door militairen gebruikt als tactisch hulpmiddel om de omgeving nauwkeurig over te kunnen nemen en door kunstenaars werd deze gebruikt vanwege de artistieke mogelijkheden. De beroemde schilder Johannes Vermeer zou een camera obscura hebben gebruikt voor het maken van zijn meesterwerken. Het feilloze ruimtelijke perspectief in Vermeers schilderijen, de onscherpe, softfocusachtige elementen die slechts door het gebruik van een lens kunnen zijn ontstaan en het ontbreken van hulplijnen onder de verflaag doen vermoeden dat Vermeer de camera obscura heeft gebruikt. Als deze theorie klopt, was Johannes Vermeer een van de eerste 'fotografen'.

*'De Schilderkunst (1666-1668)', Kunsthistorisches Museum*

Later ontstonden varianten op de camera obscura, die bijvoorbeeld makkelijker mee te nemen waren en door onder andere kunstenaars gebruikt werden om tekeningen te maken. Er werden projecties gemaakt op kalkpapierachtig materiaal en daarop werd met potlood het landschap, portret of object getekend. Als de tekening klaar was, kon het blad omgedraaid worden en had men een perfecte (perspectivische) tekening.

De eerste echte foto's werden omstreeks 1816 gemaakt door de Fransman Niépce, maar deze waren niet houdbaar. In 1826 maakte hij foto's die gefixeerd konden worden. De eerste foto had een belichtingstijd van wel acht uur.

*'Uitzicht uit venster', de allereerste (blijvende) foto gemaakt door Joseph Nicéphore Niépce*

In 1831 zette Louis Daguerre de proefnemingen van Niépce voort met zilverjodide. Na verloop van tijd lukte het hem het beeld goed vast te leggen en te fixeren (conserveren). Hij noemde dit proces daguerreotypie. Hoewel Daguerre als de uitvinder van de fotografie wordt gezien (daguerreotype camera en fotografie), was er een Engelse tijdgenoot, William Henry Fox Talbot, die zich bezighield met soortgelijke experimenten. Hij ontwikkelde een methode om papier lichtgevoelig te maken door het eerst te dompelen in een zwakke zoutoplossing en daarna in een zilvernitraatoplossing. Hij fixeerde de beelden vervolgens door ze in een sterke zoutoplossing te dompelen.

De 'uitvinding van de fotografie' werd in januari 1839 bijna gelijktijdig in Parijs en Londen aangekondigd. Daarna zijn er nog vele ontwikkelingen gevolgd, totdat we uitkomen bij onze hedendaagse digitale camera's.

### 1.1a   *Een camera obscura maken*

Met wat plakband, aluminiumfolie of karton en een punaise kunt u zelf snel een eenvoudige camera obscura maken.

1 Koop een koker met *Pringles*, liefst een model met een matwitte plastic dop. Deze is perfect om een eenvoudige camera obscura te maken.
2 Snijd op ongeveer vijf centimeter van onderaf de bodem van de koker los.
3 Zet het deksel op de vijf centimeter lange onderkant.
4 Plaats vervolgens de lange kant erop.
5 Plak het geheel samen met duct tape of breed plakband. Duct tape heeft als voordeel dat het licht op de naden afdoende tegenhoudt. Bij gebruik van plakband kan dat opgevangen worden door een stuk aluminiumfolie of karton over de aansluiting heen te plakken.
6 Prik met een punaise een gaatje midden onder in de metalen bodem.
7 Richt de koker naar buiten (veel licht en contrast) en kijk erdoor. Scherm de randen af met uw handen om vals licht (lichtinval van opzij/achteren) te voorkomen. Op het deksel ziet u het uitzicht geprojecteerd.

CAMERA OBSCURA VAN PRINGLES-BUIS

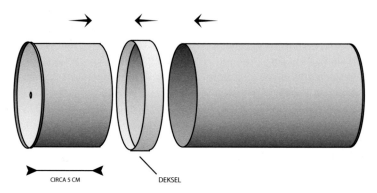

CIRCA 5 CM          DEKSEL

> **!** Is het deksel niet matwit maar transparant of van metaal, dan kunt u dit het best vervangen door een stukje kalk- of overtrekpapier. Wit plastic van een plastic tasje gaat ook, maar de beeldkwaliteit wordt dan minder.

Bij onze camera obscura hebben we het standaardgaatje van circa 1 millimeter vergroot naar drie millimeter voor een beter resultaat. Houd er rekening mee dat hoe groter het gat wordt, des te meer lichtlijnen binnenkomen en dat het beeld daardoor waziger wordt! Een wat beter uitgewerkt model kwamen we tegen op internet; het is een camera obscura volgens de beschrijving van Leonardo da Vinci. Voor een kleine €20 is het complete bouwpakket te bestellen: www.grand-illusions.com/acatalog/Camera_Obscura.html.

## 1.2    De digitale camera

De analoge camera is voor de meeste mensen al echt geschiedenis. Toch hebben we er jaren mee gefotografeerd en worden de functies en kwaliteiten van digitale camera's nog vaak vergeleken met de vroegere apparatuur. Maar wat zijn nu opvallende kenmerken van een digitale camera?

*Samsung L310W*

### 1.2a    *Direct resultaat*
Met een digitale camera kunt u een gemaakte foto meteen bekijken op het lcd-scherm. U kunt de resultaten ook direct op het scherm van bijvoorbeeld een pc of tv tonen. Het enige wat u daarvoor nodig heeft, is een passend kabeltje of een kaartlezer. Sommige digitale camera's kunnen een diavoorstelling van de genomen foto's afspelen. Ook kunt u meestal korte filmpjes en geluid opnemen. Zo is het mogelijk een dagje uit 's avonds te besluiten met een overzicht van de gebeurtenissen op tv.

### 1.2b    *Zonder nadenken een foto maken*
U kunt een digitale camera onder alle omstandigheden gebruiken in de automatische stand: u zet de camera aan en klikt. Om geavanceerdere opnamen te maken, waarbij speciale effecten of belichtingen nodig zijn, moet u de camera goed kennen. Dit gold echter ook voor analoge camera's. Een groot voordeel van digitale camera's is dat u met de verschillende functies kunt oefenen en meteen het verschil in resultaat kunt bekijken op het lcd-scherm. Bevalt een foto niet, dan maakt u gewoon een nieuwe met een iets aangepaste instelling… Als u gebruik wilt maken van de computer om te printen of beelden te bewerken, moet u uiteraard met de software overweg kunnen. Laat u de foto's zonder tussenstap afdrukken bij een fotoservice dan is dat niet noodzakelijk.

### 1.2c    *Overbelichting en verlies van gegevens*
Een van de grootste problemen van digitale camera's is de kans op overbelichting. Bij een digitale foto wordt elk gemeten beeldpunt opgeslagen als een pixel. De meest gebruikte opslagvorm is JPEG – voor iedere pixel is dan een waarde beschikbaar van 0 tot 255, waarbij het donkerste 0 is en het lichtste 255. Als de belichting over die grenzen heen dreigt te gaan, wordt ze beperkt tot 0 of 255. De informatie buiten deze waarden gaat verloren. Deze beperking geldt overigens niet voor opnamen die gemaakt worden met een ander populair formaat: RAW. Bij het maken van foto's in de RAW-stand legt de camera het volledige bereik aan beeldinformatie vast, wat naderhand meer mogelijkheden biedt. De gemiddelde gebruiker zal daarvan echter niet snel gebruikmaken, omdat gemaakte foto's de nodige nabehandeling moeten krijgen. Daarvoor heeft u specifieke ervaring nodig waarover een gemiddelde gebruiker niet beschikt. De kwaliteit van de foto's zal derhalve niet beter zijn dan in standaard camerastand.

Automatische belichting zorgt voor een ander veelvoorkomend probleem bij digitale fotografie. De camera stelt in op de voorgrond en hierbij gebeurt het vaak dat uw mooie blauwe achtergrondlucht bijna wit wordt. De kleur is eruit 'gewassen' (*washed out*) en is in JPEG-bestanden niet meer terug te halen (RAW biedt hier weer meer mogelijkheden). Op de computer is het natuurlijk wel mogelijk de gebleekte lucht van kleur te voorzien (fotoretouche).

*Omdat op de voorgrond geen specifiek object staat, is de kleur van de lucht mooi blauw gebleven*

### 1.2d  *Kwaliteit*
Digitale foto's zijn prima geschikt voor beeldschermweergave en voor afdrukken. Foto's op A4- en A3-formaat zijn meestal geen probleem. Voor dagelijks gebruik is de kwaliteit van digitale camera's ruim voldoende en ook voor professionele fotografen zijn er zeer goede digitale camera's.

### 1.2e  *Snelheid en eenvoud*
Met digitale camera's hoeft u geen filmrolletjes meer te kopen en foto's niet meer te laten ontwikkelen. Via een geheugenkaart of kabel kunt u opnamen direct overzetten naar de computer en ze bekijken, bewerken en printen. U bewaart de foto's op de computer, op cd/dvd of op geheugenstick, zet ze mogelijk op een website of verzendt ze per e-mail.

> **✳ Fotoafdrukken digitaliseren**
> Natuurlijk heeft u nog foto's die gemaakt zijn met een analoge camera – waarschijnlijk zelfs hele albums vol. Die kunt u (laten) scannen en op cd (laten) zetten om ze vervolgens op de computer te gebruiken. Meer informatie hierover vindt u in onze uitgave *Maak uw collecties digitaal*.

## 1.2f  Geheugen en zichtbaar resultaat

Wilt u veel foto's maken en opslaan in een hoge resolutie, dan moet u algauw een geheugenkaart met een capaciteit van 1 GB of meer aanschaffen – als er al een kaartje bijgeleverd wordt, zoals bij Canon, dan heeft dat altijd onvoldoende capaciteit. De prijzen van geheugenkaarten zijn aanzienlijk gedaald; een kaart van 2 GB koopt u al vanaf €6. Voor een kaart van 4 GB hoeft u niet meer dan €15 kwijt te zijn. De opslagcapaciteit neemt nog altijd toe: kaartjes van 8 GB zijn geen uitzondering meer – 16 en 32 GB zijn beschikbaar, maar let wel op of uw camera ermee overweg kan. U kunt met een digitale camera veel meer foto's maken dan vroeger met een filmpje in de analoge camera. Deze mogelijkheid kan ook een nadeel vormen, want als u het gevoel krijgt dat u geen enkele gelegenheid voorbij mag laten gaan om een foto te maken, kan dat ook enige stress opleveren. De meeste mensen gaan toch in de eerste plaats op vakantie om te genieten; de foto's zijn geen doel op zich, maar kunnen die geluksmomenten later weer tot leven wekken.

Na verloop van tijd zal de geheugenkaart vol raken. U kunt de mislukte foto's natuurlijk direct van de camera verwijderen of alle foto's overzetten naar de harde schijf van uw computer, zodat u weer een lege geheugenkaart heeft. Als u op vakantie gaat, kan het verstandig zijn extra geheugenkaarten mee te nemen.

## 1.2g  Lichtgevoeligheid en kleur

Een digitale camera heeft een ruim lichtbereik en kan veel verschillende lichtsituaties aan, automatisch of handmatig ingesteld. Standaard worden met de digitale camera kleurenopnamen gemaakt. De foto's kunt u later op de computer omzetten naar zwartwit; daarbij kunt u verschillende effecten proberen om te zien welk het mooist is.

Digitale camera's kunnen relatief lang goed uit de voeten zonder flits. Aan de andere kant: bij een laag omgevingslicht en bij langere belichtingen kan een digitale camera korrelige beelden geven (ruis). Bij een digitale camera kunt u de ISO-waarde instellen (net als bij de vroegere analoge camera): een hogere waarde geeft ook een hogere lichtgevoeligheid, maar wel wat meer beeldruis.

Het risico van overbelichting is een van de valkuilen van een digitale camera. Bovendien is een overbelichte foto van een digitale camera vaak niet meer goed te krijgen, terwijl bij een analoge camera nog veel detail in het wit aanwezig was, waardoor tijdens een bewerking nog heel wat van de foto gemaakt kon worden. Onderbelichte digitale foto's kunnen met beeldbewerkingsprogramma's vaak prima gecorrigeerd worden.

## 1.2h  Bewerken

Met speciale software (zoals Picasa, iPhoto of Photoshop Elements) kunt u foto's bewerken om ze vervolgens op het gewenste formaat af te drukken. Dit kan natuurlijk ook allemaal met analoge foto's, maar het is (nogmaals) een stuk omslachtiger, want u moet ze eerst scannen. Zie hoofdstuk 6.

### 1.2i    *Archiveren*

Digitale foto's zijn makkelijk over te zetten op de computer. Daarop kunt u ze snel bekijken met de Windows Viewer of Fotogalerie (pc) of een ander programma (Mac: Voorvertoning). Op de harde schijf kunt u de foto's indelen in overzichtelijke mappen of u kunt een speciaal programma gebruiken om ze te archiveren. Vervolgens zet u ze heel eenvoudig op cd, onder alle besturingssystemen. Tegenwoordig zijn er allerlei programma's die het fotobeheer heel eenvoudig maken. Maak voor de zekerheid altijd een kopie (back-up) van uw originele foto's! Zie hoofdstuk 5.

### 1.2j    *Foto's mailen en op internet plaatsen*

Via e-mail kunt u familie, vrienden en kennissen foto's sturen; u plaatst de afbeeldingen in de mail of hecht ze aan als bijlage. Ook kunt u de foto's in een webalbum plaatsen – openbaar of alleen voor vrienden –, bijvoorbeeld met Picasa en Windows Live Spaces. Zie hoofdstuk 7.

### 1.2k    *Afdrukken*

U kunt de foto's direct afdrukken vanaf de computer en vaak zelfs rechtstreeks vanaf de camera, zonder dat hiervoor speciale software nodig is. Maar ook op dit onderdeel zijn er diverse programma's die u bij het afdrukken meer instellingsmogelijkheden geven.

Voor het opslaan en afdrukken van foto's gebruikt u in principe een computer. Hoewel het ook zonder kan, is dat niet ideaal. Een computer heeft een veel grotere opslag- en verwerkingscapaciteit dan een digitale camera. Tot u foto's gaat afdrukken maakt u nauwelijks of geen kosten en kunt u vrijwel ongelimiteerd foto's maken en bewaren. Afdrukken kan behoorlijk duur zijn, vooral als u alle foto's in fotokwaliteit wilt afdrukken op speciaal papier. Met een fotoprinter (een goede heb je al vanaf €100) kunt u zelf foto's printen die nauwelijks van echte afdrukken te onderscheiden zijn.

In §7.1 vindt u meer informatie over printers. Voor actuele informatie zie de test 'Printers' op www.consumentenbond.nl. Een belangrijke, algemene stelregel: hoe goedkoper de printer, des te duurder hij is in het gebruik.

U kunt uw foto's ook laten afdrukken bij een fotovakhandel. Daar kunnen de foto's direct van geheugenstick of -kaart gelezen worden. U geeft aan welke foto's afgedrukt moeten worden en daarna neemt u het opslagmedium weer mee naar huis. Nog makkelijker is het om uw foto's af te laten drukken via een online afdrukcentrale. U kunt de foto's naar keuze afhalen of met de post laten afleveren.

Heel populair zijn ook fotoalbums en het afdrukken van foto's op bijvoorbeeld T-shirts, handdoeken, sleutelhangers, petjes, stropdassen, naamkaartjes, muismatten, mokken en deurmatten. Veel meer informatie over afdrukken vindt u in hoofdstuk 7.

### 1.2l    *Levensduur van afdrukken en opslagmedia*

De houdbaarheid van afdrukken van een inkjetprinter is over het algemeen beperkt, hoewel steeds meer inktsoorten lang (10 à 15 jaar) goed blijven. Er zijn zelfs printers die gebruikmaken van inkt met pigment en de afdrukken daarvan blijven tot honderd jaar houdbaar.

Kopieën van uw fotobestanden kunt u het best bewaren op archief-cd's/dvd's. Er zijn zogenoemde 'gouden' cd-roms en dvd's op de markt (*archival*), die honderd jaar houdbaarheid garanderen. Ook zijn er Blu-ray-schijven met een grotere capaciteit en een zeer lange levensduur.

*Cd 700 mb*

*Blu-ray 25 gb*

## 1.3 De aanschaf van een camera

Dat een digitale camera een goede koop zal zijn, is wel zeker. Maar welk model past het best bij u? Voor aanschaf is het van belang vast te stellen wat u ermee wilt gaan doen. Stel uzelf de volgende vragen.
• Wilt u sterk kunnen inzoomen op onderwerpen?
• Wilt u een spiegelreflex- of een compactcamera?
• Moet de camera klein en handzaam zijn?
• Hoe groot drukt u foto's af?
• Wilt u een groot lcd-scherm?

Er zijn veel goede camera's in elke gewenste prijsklasse en de moge-lijkheden verschillen enorm. We kunnen u proberen te helpen met het formuleren van uw wensen, zodat u ontdekt welke camera het meest bij u past. De tests die de Consumentenbond met grote regel-maat uitvoert, zijn daarbij natuurlijk een prima hulpmiddel.

**De top in digitale camera's**

| | Merk/type | Richtprijs | Testoordeel* |
|---|---|---|---|
| **Basic** | | | |
| 1 | Canon Digital Ixus 90 IS | € 180 | 65 |
| 2 | Canon Digital Ixus 870 IS | € 250 | 64 |
| 3 | Canon Digital Ixus 80 IS | € 150 | 64 |
| **Advanced** | | | |
| 1 | Panasonic Lumix DMC-FZ28 | € 330 | 67 |
| 2 | Olympus SP-565UZ | € 330 | 65 |
| 3 | Canon Digital Ixus 980 IS | € 300 | 65 |
| **High End** | | | |
| 1 | Canon Powershot SX10 IS | € 330 | 69 |
| 2 | Canon Powershot G10 | € 480 | 69 |
| 3 | Canon Powershot SX1 IS | € 480 | 66 |
| **Spiegelreflex** | | | |
| 1 | Canon EOS 1000D met 18-55 mm | € 350 | 72 |
| 2 | Sony Alpha 350 met 18-70 mm DT | € 600 | 71 |
| 3 | Canon EOS 450D met 18-55 mm IS | € 550 | 70 |

*\* 0-19 = slecht, 20-39 = matig, 40-59 = redelijk, 60-79 = goed, 80-100 = zeer goed*
Peildatum april 2009; voor meer en actuele testgegevens,
zie de test 'Digitale camera's' op www.consumentenbond.nl

**Compactcamera's**
We onderscheiden drie soorten compactcamera's:

*Basic*
Dit is de eenvoudigste compactcamera. Deze beschikt niet over de extra mogelijkheden zoals hierna beschreven bij de *advanced* of the *high end*-camera.

*Advanced*
De *advanced*-camera heeft minimaal de volgende extra mogelijkheden:
• handmatige iso-instelling;
• handmatige witbalans;
• handmatig scherpstellen;
• ten minste één mogelijkheid om de belichting handmatig te beïnvloeden: via sluitertijd, via diafragma of volledig handmatig.

*High end*
De *high end*-compactcamera voldoet aan de eisen van een advanced camera en heeft bovendien de volgende extra mogelijkheden:
• sluitertijd *priority*: je kiest de sluitertijd en het diafragma gaat automatisch;
• diafragma priority: je kiest het diafragma en de sluitertijd gaat automatisch;
• volledig handmatig; je kiest zelf sluitertijd én diafragma
• aansluiting voor een externe flitser, waarbij door de lens gemeten kan worden hoe de flits zich moet gedragen (TTL = *through the lens*).

### 1.3a   Bijkomende kosten

In vrijwel alle gevallen moet u rekening houden met de aanschaf van een extra geheugenkaart.
Hetzelfde geldt voor de batterijen: wordt de camera geleverd met gewone penlights, dan moet u nog oplaadbare batterijen met een hoge capaciteit (minimaal 2000 mAh of meer) kopen en (eventueel) een bijpassende lader. Sommige cameramodellen beschikken over een oplaadbare accu. Die gaan lang mee, maar kunnen niet door standaardbatterijen vervangen worden. U kunt wel overwegen een reserveaccu aan te schaffen en die opgeladen achter de hand te houden.

### 1.3b   Modellen

Moet de camera in uw jaszak passen? Dat is misschien wel de belangrijkste vraag die u zichzelf moet stellen. Als u de camera vaak wilt meenemen, makkelijk op wilt kunnen bergen en vooral gebruikt voor huis-tuin-en-keukenkiekjes, kies dan een *basic* compactcamera. Wilt u echt meer, koop dan een spiegelreflexcamera. Velen kopen een camera die van beide iets biedt (type *advanced* of *high end*), maar in de praktijk blijkt dan vaak dat de camera weinig wordt gebruikt: hij is te groot of niet zo goed als gehoopt. Wilt u een camera makkelijk mee kunnen nemen én wilt u professionele foto's maken, koop er dan twee.

*Compactcamera*
Een compactcamera moet klein, draagbaar en makkelijk te bedienen te zijn. Sommige modellen zijn zelfs zeer klein en enorm compact. Klein en handzaam wil overigens niet per definitie zeggen dat de camera ook makkelijker te bedienen is, de werking kan vrij complex zijn. Qua mogelijkheden biedt de gemiddelde compactcamera meer dan de meeste mensen nodig hebben.

*DSLR-camera*
SLR staat voor *Single Lens Reflex*. En D natuurlijk voor *Digital*. Bij een DSLR-camera (een digitale spiegelreflexcamera) kijkt u door de zoeker via ingenieuze spiegels en prisma's rechtstreeks door de lens. U ziet (ook op het lcd-scherm) precies wat u gaat fotograferen, zoals eventuele scherpte/onscherpte.
Uiteraard verschillen ze van de compactcamera's. Soms zijn die verschillen meetbaar, maar vaak ook zijn ze merkbaar tijdens het fotograferen. Het gaat dan om snelheid, kwaliteit en flexibiliteit.

### 1.3c   Gebruikssnelheid

In sommige situaties krijgt u slechts één kans om een foto te maken en het is handig als de camera dan ook snel reageert. Met snelheid bedoelen we niet de sluitersnelheid, maar de werkingssnelheid of gebruikssnelheid. Hierop is een aantal factoren van invloed.

*Camera aanzetten*
Het eerste wat moet gebeuren als u een foto wilt maken, is het aanzetten van de camera. U hoeft natuurlijk niet voor iedere foto de

camera opnieuw aan te zetten, maar toch kunt u in die aanloop veel kostbare tijd verliezen. Sommige DSLR-camera's staan vrijwel direct aan. Ze hebben geen lenzen die uit hun beschermde positie naar buiten schuiven en zichzelf vervolgens zoemend scherpstellen, maar er is natuurlijk altijd enige vertraging.

*Foto's maken*

Dan komt de afdrukvertraging: het moment tussen indrukken van de afdrukknop en het moment dat de foto daadwerkelijk wordt genomen. De afdrukvertraging is de afgelopen jaren aanzienlijk verminderd maar bestaat nog altijd.

Scherpstellen (focussen) is een van die afdrukvertragende factoren. Een compactcamera stelt meestal pas scherp bij het nemen van de foto; bij een DSLR-camera gebeurt dit (soms deels) al op het moment dat er naar een object gekeken wordt. De gemiddelde DSLR-camera is sneller dan een compactcamera, maar ook hier zijn er uitzonderingen. Dit snelheidsverschil is soms nog meer merkbaar als het aanwezige licht kleiner is.

U kunt de afdrukvertraging beperken door de knop al half in te drukken voordat u de foto neemt. De flits tegen rode ogen geeft een extra vertraging tot maar liefst 0,8 seconde.

Ook bij opeenvolgende opnamen snel achter elkaar presteert de gemiddelde DSLR-camera beter. Bij spiegelreflexcamera's is de tijd tussen twee losse foto's 0,3 tot 0,8 seconden, bij compactcamera's 1,5 tot 7,6 seconden. Bij serieopnamen scoren spiegelreflexcamera's altijd goed of zeer goed, maar er zijn ook wel compactcamera's die dezelfde seriesnelheid halen.

We kunnen concluderen dat de algehele bedieningssnelheid bij DSLR-camera's voordelen biedt. Als u ervan houdt foto's te maken van evenementen, kinderen, dieren en andere bewegende objecten, dan is een DSLR-camera een goede keuze. Een compactcamera ligt dan minder voor de hand.

### 1.3d *Beeldsensor*

De belangrijkste onderdelen van een digitale camera zijn de lens en de beeldsensor. De sensor is een chip die uit miljoenen lichtgevoelige elementen bestaat die het invallende licht registreren.

Vaak levert het mooie foto's op als het hoofdonderwerp scherp is en de voor- en/of achtergrond onscherp. Dan praat je over een kleine scherptediepte. De scherptediepte wordt kleiner als u een kleinere diafragmawaarde kiest, meer inzoomt én dichter op het onderwerp staat. Tot zover wordt de scherptediepte bepaald door de lens. Maar de scherptediepte is afhankelijk van meerdere factoren: de camerasoftware en de grootte van de beeldsensor.

Daarom kunt u met een spiegelreflexcamera met goede lens en grote sensor mooiere resultaten behalen dan met een compactcamera. Compactcamera's proberen automatisch juist zo veel mogelijk scherp te krijgen, behalve wanneer u een speciaal programma kiest (bijvoorbeeld portret) of (een deel van) de instellingen handmatig bepaalt. De voorgeprogrammeerde instellingsmogelijkheden en beeldinstellingen vallen onder de noemer 'camerasoftware'. De spiegelreflex-camera's die de Consumentenbond test (instapmodellen) hebben andere sensoren dan compactcamera's en ze zijn ongeveer vier tot zes keer groter. De grootte van de sensor is van invloed op de beeld-kwaliteit. Zo leveren 10 megapixels op een grote sensor in principe meer detail en kwaliteit dan op een kleinere sensor.

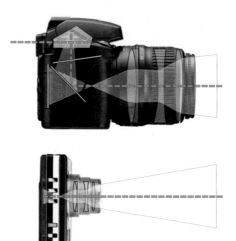

*Doorsnede van DSLR-camera en een compactcamera. Bij de DSLR: een groot objectief, een grote brandpuntsafstand en een grote sensor. Deze leveren een hoge(re) beeldkwaliteit.*
*De compactcamera heeft een klein objectief met een korte brandpuntsafstand. Het voordeel hierbij is een groter scherptedieptebereik.*

### 1.3e  Megapixels

Camera's beschikken over steeds meer megapixels. Dit betekent echter niet noodzakelijkerwijs een betere kwaliteit afbeelding! Met meer megapixels wordt er meer gevraagd van de beeldsensor die de beeldinformatie registreert. Er wordt immers meer op de kleine sensor samengeperst. Dit kan storinkjes veroorzaken die zichtbaar zijn op de foto's: digitale ruis (*digital noise*). Digitale ruis openbaart zich als gekleurde spikkeltjes in het beeld. Naarmate de lichtomstandig-heden minder worden en langere belichtingstijden nodig zijn, zal het effect van digitale ruis toenemen.

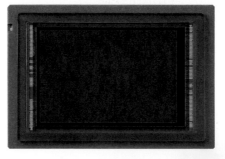

*Nikon D7000 CMOS-element*

Samengevat: een camera met meer megapixels is niet verkeerd, maar beschouw het aantal megapixels niet als een 'kwaliteitsindicatie'. De echte kwaliteit is vooral waar te nemen in het fotografisch resultaat, en dat kunt u in een fotowinkel niet meteen controleren.

### 1.3f  *Flexibiliteit*

Onder flexibiliteit verstaan we hoe een camera zich gedraagt in verschillende omstandigheden – iets wat u in het gebruik dus meteen merkt. Eenvoudige compactcamera's zijn standaard van een vaste lens en flitser voorzien.

De standaardlens (kitlens), die in combinatie met de camera verkocht wordt, is niet optimaal en er zijn veel betere opzetlenzen voor DSLR's te koop. Zie §1.3h.

De gemiddelde interne flitser van een compact- of DSLR-camera is bedoeld voor een korte afstand (2 tot 5 meter). Rode ogen ontstaan doordat het flitslicht uit vrijwel exact dezelfde richting komt als waarvandaan de foto gemaakt wordt. De flits zit immers vlak naast de lens. Bij een DSLR is er iets meer ruimte tussen de flitser en de lens, waardoor de kans op het rode-ogeneffect iets minder groot is dan bij een compactcamera. Bij het gebruik van een externe flitser wordt die afstand nog groter en wordt ook het rode-ogeneffect minder. Daarbij komt dat u externe flitsers kunt richten. Ze hebben ook een veel groter bereik en kunnen via plafond of muren reflecteren voor mooier licht.

### 1.3g  DSLR *versus compact*

Een DSLR is niet per definitie beter dan een compactcamera en biedt andere voordelen. We hebben een paar zaken nog niet behandeld die best belangrijk zijn, zoals de prijs. Een compactcamera is over het algemeen aanzienlijk goedkoper, al zijn er inmiddels DSLR-instapmodellen met kitlens die goedkoper zijn (€320 voor een iets ouder model) dan sommige compactcamera's. Zie ook de tabel op pagina 17.

| Compactcamera | Digitale spiegelreflexcamera |
|---|---|
| tot ±€500 | vanaf ± €400 (exclusief eventuele extra kosten voor lenzen, flitsers en andere apparatuur) |
| meestal geen doorzichtzoeker | altijd doorzichtzoeker waarbij u echt door de lens kijkt |
| meestal onnauwkeurige doorzichtzoeker (niet als er een lcd-schermpje in zit) | nauwkeurige doorzichtzoeker |
| vaste zoomlens | verwisselbare lenzen |
| kleine sensor (vaak CCD-sensor) | grotere sensor (vaak CMOS) |
| lange opstarttijd | korte opstarttijd |
| korte tot lange afdrukvertraging | minimale afdrukvertraging |
| vaak klein, compact en licht (130 tot 700 gram) | meestal groot en zwaar (680 tot 1300 gram) en veel extra apparatuur (lenzen, externe flitser) |
| filmpjes maken vrijwel altijd mogelijk | filmpjes maken mogelijk met duurdere modellen |

Daarbij komen vaak nog prijzen voor opzetlenzen en andere acces-
soires, om nog maar te zwijgen over het gewicht en het formaat van
de DSLR (met toebehoren). Zoekt u alleen een camera die makkelijk
mee te nemen is en niet te zwaar is, kies dan een compactcamera.
Stelt u hoge eisen aan de kwaliteit van uw foto's en bent u bereid
daarvoor het gewicht van een flinke camera mee te torsen, dan is de
DSLR-camera een optie.

### 1.3h  Lenzen

De lens is met de beeldsensor het belangrijkste onderdeel van een
camera. Sommige fabrikanten vertrouwen op de producten van
gespecialiseerde lenzenbouwers. Zo zijn bepaalde Sony-camera's uitgerust met een lens van het gerenommeerde Zeiss-Ikon.

*Compact of DSLR?*

Een voordeel van een compactcamera is dat u nooit lenzen hoeft te
wisselen. De beperking is dat u vastzit aan een bepaald zoombereik
(zie ook §1.3i). Er komen steeds meer camera's met tien tot zelfs 26
keer optische zoom of meer (megazoom- of bridgecamera's). Als u zo
ver inzoomt, heeft u zeker een statief nodig.
Een DSLR is een systeemcamera. Dat wil zeggen: u koopt een basis (de
body), waaraan allerlei extra's kunnen worden toegevoegd. U heeft
de keuze uit opzetlenzen met een klein tot zeer groot zoombereik,
uit supergroothoeklenzen en telelenzen. De standaardpakketten
leveren een body met een kitlens, geheugenkaart, batterijen, een
draagriem en een lensdop, zodat u direct aan de slag kunt.
Met een spiegelreflexcamera bent u dus niet beperkt tot een bepaalde lens; u kiest de lens die het best bij uw manier van fotograferen
past of u heeft verschillende lenzen voor verschillende gelegenhe-
den en toepassingen. Er zijn veel kwalitatief hoogwaardige lenzen op
de markt die een perfecte beeldkwaliteit leveren. Deze lenzen bieden grotere openingen (*aperture*). De DSLR is daarmee in staat sneller
foto's te maken omdat de lens meer licht doorlaat. Bovendien zijn de
scherptediepte-instellingen nog beter te beheersen.

*Kitlens*

Kitlenzen zijn vrij eenvoudige en veelal goedkope lenzen. Bij de aanschaf van een camera is het zinvol te informeren of er een lens is die
betere resultaten levert – het is een punt waar vrijwel altijd over te
onderhandelen is.
De kitlens is vaak de reden waarom veel DSLR-camera's minder goed
scoren in Consumentenbondtests dan je zou verwachten. Met een
betere lens zouden de resultaten heel anders kunnen zijn.
Ongeveer eens per jaar worden de spiegelreflexcamera's aan uitge-
breidere tests onderworpen. Resultaten vindt u op www.consumen-
tenbond.nl (alleen voor leden).

### 1.3i  Optische en digitale zoom

Inzoomen met uw camera betekent dat u een onderwerp dichterbij
haalt zonder dat u dichterbij gaat staan. En als u uitzoomt, plaatst u

een onderwerp verder weg zonder dat u verder weg gaat staan. Veel digitale camera's beschikken over een optische en een digitale zoomfunctie. Er is een groot verschil in de kwaliteit die deze technieken leveren.

Bij optisch inzoomen verandert u de instellingen van de lens (door te draaien of te schuiven) om het onderwerp dichterbij te halen. Het beeld bedekt de hele sensor, de afbeelding wordt gemaakt op maximale kwaliteit.

Bij digitaal zoomen wordt slechts een steeds kleiner stukje van het oorspronkelijke beeld genomen en dat wordt vergroot. De pixels ertussenin worden er automatisch door de software bij gemaakt. Indien mogelijk is het beter de digitale zoom uit te schakelen. Mocht u achteraf het beeld nog wat willen vergroten, doe dat dan liever met fotobewerkingssoftware op de computer.

Een compactcamera heeft doorgaans een bereik van zo'n drie tot vijf keer optische zoom (35-165mm). De zoomfactor wordt bepaald door de grootste waarde te delen door de kleinste (165/35 = zoomfactor 4,7).

*Zoombereik*

Camera's kunnen beschikken over een heel verschillend zoombereik. Bij het gros is dat bereik drie tot vijf keer (zie hiervoor) en in de meeste situaties kunt u daarmee prima foto's maken. Sommige compactcamera's hebben veel meer (tot wel 26x) optische zoom. Er zijn ook steeds meer compactcamera's met echte groothoeklenzen (28mm of minder). Daarbij is de 'wijdste' stand 24 tot 38mm (50mm ervaar je als 'normaal' zicht) en kan ingezoomd worden tot wel 624mm. Camera's met tien tot twintig keer zoom kunnen objecten veraf, zoals vogels en wild, flink dichterbij halen.

Door sterk in te zoomen haalt u een onderwerp dus dichterbij. Een nadeel van een camera met zoomfunctie is dat u bij weinig licht een statief nodig heeft om nog scherpe foto's te kunnen maken. Wanneer u sterk inzoomt, hebben kleine camerabewegingen een grote invloed op de scherpte van de foto. Kijk dus of de camera op een statief geplaatst kan worden.

*Links uitgezoomd op 24mm en rechts ingezoomd op 120mm met een universele groothoek zoomlens (24-120mm)*

*Links uitgezoomd op 80mm en rechts ingezoomd op 200mm met telezoomlens (80-200mm)*

Let er bij een DSLR op welke lens u kiest: er is niet alleen verschil in wat u dichtbij kunt halen. Ook is belangrijk in hoeverre u wat dichtbij is in beeld kunt krijgen. De telezoom zoals hieronder (rechts) heeft een minimumafstand van 1,5 à 2 meter en biedt weinig overzicht op het beeld dichtbij. Door de sterke zoomfactor is het vrijwel onmogelijk een 'normale' foto te maken. Dat is bij de universele lens (hieronder links) heel anders.

### 1.3j Beeldstabilisator

De nieuwste compactcamera's zijn over het algemeen uitgerust met een beeldstabilisator die uw bewegingen corrigeert en zo wazige foto's voorkomt. Bij een spiegelreflexcamera zit zo'n beeldstabilisator soms in de lens, maar ook wel in de body. Deze functie is dus niet altijd standaard aanwezig. Let erop bij aanschaf! De beeldstabilisatie heeft verschillende namen, afhankelijk van de producent. Zo noemt Nikon het VR (*Vibration Reduction*) en Canon noemt het IS (*Image Stabilizer*). Mechanische of optische beeldstabilisatie is beter dan digitale beeldstabilisatie.

### 1.3k Lcd-scherm en beeldzoeker

De meeste compactcamera's gebruiken het lcd-scherm om u precies te tonen wat er op de foto gaat komen. De grootte van het lcd-scherm zegt nog niets over de beeldkwaliteit van de foto. Let ook op de kwaliteit van het beeldscherm; bruikbaarheid bij daglicht, kleuren en contrast zijn daarbij van belang. Sommige Sony-camera's beschikken over een *nightshot*-optie, waarmee u zelfs in het pikkedonker het onderwerp nog op het lcd-scherm kunt zien.

Omdat beeld op een lcd-scherm bij veel en bij weinig licht moeilijk te onderscheiden is, is het prettig als er ook een gewone doorzicht-zoeker op de camera zit, al wijkt het beeld in de zoeker van een compactcamera gemiddeld een derde af van wat er op de foto komt. Een spiegelreflexcamera werkt anders dan een compactcamera. U kijkt bij een DSLR-camera door de lens naar het onderwerp. Het licht kaatst via een spiegel naar boven en gaat dan door een pentaprisma. Dit zorgt ervoor dat de fotograaf door de zoeker een rechtopstaand beeld ziet. Op het moment dat op de ontspanner wordt gedrukt, klapt de spiegel naar boven en opent de sluiter, waardoor het beeld gedurende de vastgestelde belichtingstijd op de sensor komt. De afmetingen van het beeld in de zoeker van een DSLR wijken ongeveer 8% af van uw uiteindelijke foto.

De minste afwijking (5%) tussen het beeld in de zoeker en de uit-eindelijke foto geeft een elektronische beeldzoeker. Bij camera's met een heel groot zoombereik is het niet mogelijk een optische zoeker met hetzelfde bereik te maken. Daarom kijk je bij zo'n camera niet echt door de zoeker, maar zit er een minuscuul schermpje in die zoeker ingebouwd, waarop je heel nauwkeurig ziet wat er op de foto komt.

Het gebruik van de zoeker in plaats van het lcd-scherm spaart flink wat energie.

> **!** Houd er rekening mee dat een lcd-scherm meer stroom verbruikt dan vrijwel alle andere camerafuncties tezamen; bij veelvuldig gebruik van het lcd-scherm zullen de batterijen vaker moeten worden vervangen of opgeladen.

## 1.3l    *DSLR en lcd-scherm*

Bij compactcamera's is het lcd-scherm een standaardonderdeel. Gebruikers zijn daar helemaal aan gewend geraakt en verkiezen het gebruik ervan boven de mogelijk beschikbare zoeker. Bij spiegel-reflexcamera's kon dat tot een paar jaar terug helemaal niet, omdat de spiegel voor de sensor zit. Na het nemen van een foto wordt het resultaat opgeslagen in het geheugen en pas daarna wordt de foto getoond op het lcd-scherm. Voor dit 'probleem' zijn inmiddels verschillende oplossingen ontwikkeld, waardoor *live view* bij spiegel-reflexcamera's ook standaard is geworden, al werkt het anders dan op compactcamera's. En er zijn kanttekeningen: bij sommige DSLR's werkt de autofocus niet meer met live view of gaat het scherpstellen veel langzamer.

## 1.4    Beeldkwaliteit

In reclames lijkt het er soms op dat alleen de hoeveelheid megapixels van een camera de beeldkwaliteit van een camera bepaalt. Dat is niet waar. De beeldkwaliteit is een samenspel van de volgende factoren:

- kwaliteit van de sensor;
- grootte van de sensor;
- kwaliteit van de lens;
- aantal megapixels;
- wijze van compressie.

De sensor en de lens hebben we hiervoor besproken. We richten ons nu op de pixels en de compressie.

### 1.4a    *Megapixels en afdrukkwaliteit*

Het aantal lichtgevoelige elementen van de beeldsensor, de resolutie, wordt uitgedrukt in megapixels (miljoenen pixels). Een instapmodel biedt ongeveer 8 megapixels, de wat duurdere modellen meer. Over het algemeen geldt: hoe meer megapixels, des te gedetailleerder de foto's. Staart u zich echter niet blind op een hoge resolutie, want alle camera's hebben genoeg megapixels voor het maken van goede foto's. De onderstaande tabellen gaan uit van een betere/beste kwaliteit (formaat in centimeters, afdrukkwaliteit in DPI). Een afdruk op een gemiddelde printer met een afdrukinstelling van 100 of 150 DPI (*dots per inch*) levert een redelijk goed resultaat op. Van een foto van 2 megapixel kunt u al redelijke afdrukken maken tot A4-formaat (21x29,7 cm), met 4 megapixels of meer heeft u een meer dan goede afdruk. Extra megapixels voegen meer detail en contrast aan de afdrukken toe.

**Afdrukkwaliteit in combinatie met afdrukformaat**

| MP | pixels | 10x15 | 13x18 | 15x20 | 20x30 | 30x45 | 50x75cm |
|----|--------|-------|-------|-------|-------|-------|---------|
| 0,5 | (600x800) | - | - | -- | -- | -- | -- |
| 1,1 | (900x1200) | 0 | 0 | - | -- | -- | -- |
| 2,1 | (1250x1660) | ++ | + | 0 | - | -- | -- |
| 4,2 | (1660x2500) | ++ | ++ | + | 0 | - | -- |
| 5,9 | (2100x2800) | ++ | ++ | ++ | + | 0 | -- |
| 12,2 | (2848x4288) | ++ | ++ | ++ | ++ | + | 0 |

**Mogelijk afdrukformaat in combinatie met aantal DPI**

| MP | pixels | 300 DPI | 250 DPI | 200 DPI | 150 DPI | 100 DPI |
|----|--------|---------|---------|---------|---------|---------|
| 0,5 | (600x800) | 5x7 | 6x8 | 8x10 | 10x14 | 15x20 |
| 1,1 | (900x1200) | 8x10 | 9x12 | 11x15 | 15x20 | 23x30 |
| 2,1 | (1250x1660) | 10x14 | 13x17 | 16x21 | 21x28 | 32x42 |
| 4,2 | (1660x2500) | 14x22 | 17x26 | 21x33 | 28x43 | 42x65 |
| 5,9 | (2100x2800) | 18x24 | 21x28 | 27x36 | 36x47 | 53x71 |
| 12,2 | (2848x4288) | 24x36 | 29x44 | 36x54 | 48x73 | 72x109 |

**Afdrukkwaliteit**

| |
|---|
| 0 - 100 dpi |
| 101 - 149 dpi |
| 151 - 200 dpi |
| 201 - 250 dpi |
| 251 - ... dpi |

### 1.4b  *Compressie*

Compactcamera's slaan foto's doorgaans op in JPEG; er ontstaat dan altijd kwaliteitsverlies. Door deze opslagvorm wordt er minder kleur-informatie vastgelegd, namelijk voor iedere kleurcomponent (rood, groen, blauw) 'maar' 256 helderheden van helemaal zwart tot hele-maal wit. Dat is op zich meestal geen punt, want het menselijk oog kan de verschillen vaak niet waarnemen. Een verminderde kwaliteit kan wel beperkingen opleveren op het gebied van beeldbewerking. Alle spiegelreflexcamera's en sommige compactcamera's met een groot zoombereik kunnen foto's zonder compressie opslaan (in RAW-formaat). RAW-bestanden zijn daardoor veel groter dan JPEG-bestan-den. Ze kunnen bovendien niet door alle software gelezen worden en moeten bijna altijd bewerkt worden. Het voordeel van opslaan zonder compressie is dat u bijvoorbeeld de details in de schaduw-delen van de foto beter zichtbaar kunt maken. Zodra foto's niet (meer) bewerkt hoeven te worden, is het zonde van de ruimte om ze als RAW-bestand te bewaren. JPEG volstaat dan prima.

### 1.4c  *Witbalans*

Licht is er in vele kleuren, van ochtendgloren tot groenig tl-licht, van oranjegeel gloeilampschijnsel tot blauwig wolkenweer. In onze hersenen wordt die kleurwaarneming automatisch gecorrigeerd. Rood blijft zo rood, wit blijft wit, enzovoort. Zo is een witte zwaan bij avondlicht oranje getint, maar als u gevraagd wordt welke kleur het dier heeft zegt u wit. Camera's beschikken niet over een dergelijke kleurcorrectie en zullen de zwaan dus wel oranje maken.
Bij camera's gebeurt de correctie op kleurafwijking door omgevings-licht cijfermatig. Dit noemen we de automatische witbalans. De camera zoekt in het beeld naar het lichtste punt. Dat wordt als 'wit' beschouwd en de hele afbeelding wordt op basis daarvan gecor-rigeerd op kleurzweem. Vaak gaat dit goed, maar niet altijd. Met daglicht zijn er weinig problemen, maar bij gemengd licht of flitslicht kan het behoorlijk misgaan. Als u de automatische witbalans niet vertrouwt, kunt u meestal ook kiezen voor voorgeprogrammeerde witbalansen (zon, gloeilamp, tl, enzovoort). Dergelijke voorgepro-grammeerde witbalansen zitten ook in belichtingsprogramma's als 'sneeuw & strand', 'kaarslicht', enzovoort. Kleurafwijkingen kunt u overigens ook aanpassen op de computer.

## 1.5   Filmen

Vrijwel alle compactcamera's hebben de mogelijkheid korte filmpjes met of zonder geluid op te nemen. Daarvoor worden verschillende bestandsformaten gebruikt. Bij de ene camera is dat AVI, bij het andere MOV, maar ook MPG komt voor (MPEG1 en MPEG2 en sinds enige tijd MPEG4). MPEG4 heeft als voordeel dat de bestanden vier tot vijf keer zo klein zijn als voorheen, en dat met een beeldkwaliteit die even goed of zelfs beter is.

Uit recent onderzoek van de Consumentenbond (voorjaar 2009) blijkt dat de maximaal haalbare kwaliteit van deze filmpjes in sommige gevallen (voor een digitale camera) voldoende of zelfs goed genoemd kan worden. Dan moet wel minimaal de VGA-resolutie (640x480px) worden gebruikt. De kwaliteit wordt minder als het onderwerp te gedetailleerd is of al te veel beweging vertoont. Dit komt omdat bewegingen niet erg vloeiend verlopen, ook niet met dertig beeldjes per seconde. Bijna alle camera's beschikken inmiddels over VGA-resolutie en er zijn ook al aardig wat camera's met een VGA-resolutie van 1280x720px.

Net als bij fotograferen wil een hogere resolutie overigens niet zeggen dat de beeldkwaliteit ook beter is. De kwaliteit van de filmpjes die worden gemaakt met een digitale camera is nog steeds niet te vergelijken met video-opnamen die worden gemaakt met een MiniDV- of DVD-camcorder, laat staan met een goede HD-camcorder. Met een spiegelreflexcamera konden tot voor kort nooit filmpjes worden opgenomen. De spiegel zit immers voor de sensor. Inmiddels zijn er spiegelreflexcamera's die wel kunnen filmen. De filmkwaliteit van de camera die is getest (de Nikon D90) is echter matig.

De begrippen die gebruikt worden bij het werken met digitale beelden zijn niet voor iedereen meteen duidelijk. Het is echter wel belangrijk om ze enigszins te kennen. In dit hoofdstuk zullen we een aantal begrippen introduceren, zodat u bijvoorbeeld begrijpt hoe beelden zijn opgebouwd en hoe het komt dat een uitgerekte foto minder mooi wordt of waarom een foto die wordt afgedrukt ineens heel andere kleuren krijgt.

## 2.1   De opbouw van beelden

Digitale foto's worden opgebouwd uit vierkantjes, pixels. Bij het afdrukken worden deze vierkantjes vertaald naar inktdruppels (stippen). Deze methode is te vergelijken met de manier waarop pointillisten hun schilderijen maakten: zij drukten de kwast op het doek, waardoor geen strepen maar puntjes ontstonden. Door de combinatie van kleurpuntjes maakten ze prachtige schilderijen.

*Paul Signac, 'Place des Lices', Saint-Tropez, 1893*

Op dezelfde wijze worden door de computer (en de printer) de kleuren in een foto samengesteld. Daartoe verdeelt de computer het scherm in een raster dat honderden, duizenden of zelfs meer dan een miljoen pixels bevat. Vervolgens worden de waarden die zijn vastgelegd in de digitale foto's gebruikt om de helderheid en de kleur van iedere pixel in dit raster te specificeren. Een beeld dat op die manier is opgebouwd, noemen we een bitmapafbeelding.

## 2.2   Onderdelen op de camera

Digitale camera's zijn er in heel verschillende modellen: de ene heeft slechts een paar knopjes, is simpel te bedienen en heeft weinig instelmogelijkheden, terwijl een andere vele knoppen en tientallen mogelijkheden bezit.

Er zijn camera's met weinig knoppen waar u via menustructuren op het lcd-scherm alle mogelijkheden kunt bedienen. Dat lijkt makkelijk, maar het instellen van een bepaalde bedieningsfunctie kan enige tijd in beslag nemen en je vergeet al snel waar een bepaalde functie ook al weer te vinden is. Een camera met veel knoppen is aanvankelijk misschien moeilijk te doorgronden, maar na enige oefening zult u merken dat de belangrijke functies via die vele knoppen best makkelijk te vinden zijn.

Als u een digitale camera koopt, zit er ongetwijfeld een uitgebreide handleiding bij waarin wordt uitgelegd waar elk knopje voor dient. Hier geven we daarom slechts een beknopte beschrijving van de algemene functies die op vrijwel iedere digitale camera voorkomen.

*Canon PowerShot A2100*

### Aan/uit-knop

Digitale camera's werken op (oplaadbare) batterijen of accu's. Het stroomverbruik is meestal aanzienlijk. Alle toestellen zullen zichzelf automatisch uitschakelen als ze een bepaalde tijd niet gebruikt zijn, maar het is natuurlijk economischer om dit zelf te doen. Een compactcamera staat aan in ongeveer 1,5 tot 4,5 seconden, een spiegelreflexcamera is sneller: 0,3 tot ongeveer 1,5 seconden.

*Bovenzijde*

### In- en uitzoomen

Veelgebruikte aanduidingen bij deze knop (of knoppen) zijn 'W' (*wide*) en 'T' (*tele*) om het beeld respectievelijk verderaf te plaatsen of dichterbij te halen (zie ook hoofdstuk 1).

Op een compactcamera gebeurt het zoomen meestal met een of twee knoppen; de lens stelt zich dan zoemend bij. Op een DSLR-camera gebeurt dit door de lens te verdraaien; de camera is over het algemeen veel sneller ingesteld en staat ook direct scherp. Dat is bij sommige compactcamera's ook mogelijk, maar het vergt wel aparte instellingen en het kost meer stroom. Het is bij de DSLR ook makkelijker om de zoominstelling nog een beetje bij te stellen, terwijl de meeste compactcamera's een aantal vaste stappen gebruiken (vaak drie stapjes per 1x zoom).

*Achterzijde*

### Menuknop

De menuknop wordt gebruikt voor het instellen van de camera, zoals datum en tijd, het tonen van een foto-overzicht en het flitsgedrag (rode ogen beperken). De menuknop activeert de selectiemenu's en met de keuzeschijf kiest u de functie.

### Keuzeschijf

De keuzeschijf heeft vrijwel altijd de optie 'automatisch' en een aantal belichtingsprogramma's of de keuze voor handmatige instellingen. De keuzeschijf wordt ook wel gebruikt om de terugkijkfunctie en de afspeelmodus in te stellen.

### Keuzeschakelaar

Hier heeft u de keuze tussen het maken en bekijken van opnamen.

**✳** Als na het in- of uitzoomen het beeld even onscherp is, druk dan de afdrukknop (ontspanknop) half in: het beeld wordt nu scherpgesteld.

*Ontspanknop*
De ontspanknop heeft een dubbelfunctie: half ingedrukt stelt de camera zich in, wordt de belichting gemeten en wordt het beeld scherpgesteld. Geheel ingedrukt wordt een foto gemaakt.

*Delete*
De verwijderknop wordt meestal aangegeven met een vuilnisbakje en kan gebruikt worden om (geselecteerde) foto's te wissen. Op de meeste camera's kunnen meerdere foto's tegelijk worden gewist, maar dat is zeker niet bij alle modellen het geval – wat tamelijk onhandig is.

*Belichtingscorrectie*
Belichtingscorrectie wordt gebruikt om de foto donkerder of lichter te maken dan de camera automatisch zou doen. Als u vindt dat een foto donkerder of lichter moet worden, kunt u hiermee de standaardinstelling overschrijven. Let op: de kans op overbelichting is groot, dus het is vaak beter voor een tikje donkerder te kiezen. Zie §3.5a voor meer informatie over dit onderwerp.

*Lcd-scherm en zoeker*
De meeste consumenten zijn er inmiddels helemaal aan gewend op het lcd-scherm te kijken om te zien welke foto ze gaan maken. Ook bij een mobiele telefoon kunt u op die manier foto's maken. Het voordeel is dat u precies ziet wat er op de foto gaat komen. Een nadeel van het lcd-scherm is dat het beeld bij veel of juist weinig licht soms slecht is.
Bij DSLR's kijkt u via een spiegel door de lens. Op het moment dat de foto genomen wordt, klapt de spiegel naar boven en kunt u even niet zien wat er gebeurt. Op dat moment is het beeld gericht op de sensor en wordt de foto gemaakt (zie ook §1.3k).

*Lens*
Er zijn twee lensopties: met zoom (altijd automatische scherpstelling) en zonder zoom, al is die laatste variant bij compactcamera's haast uitgestorven. Bij compactcamera's heeft u te maken met vaste lenzen, bij DSLR-camera's kan de lens verwisseld worden (zie ook §1.3h).

*Flitser*
U kunt de flitser inschakelen op momenten dat het nodig is; vrijwel alle camera's hebben de mogelijkheid automatisch te flitsen. Bij compactcamera's zit de flitser vaak voorop in de body van de camera gebouwd. Bij DSLR's zit deze meestal boven op de camera, boven de lens, en klapt hij open zodra hij nodig is. Er zijn ook compactcamera's waarbij de flits opklapbaar is, al moet dat dan vrijwel altijd handmatig gebeuren.

*Geheugen(kaart)*
Digitale camera's slaan hun beelden op in het eventueel aanwezige (beperkte) interne geheugen of op verwisselbare geheugenkaarten

(tot 32 GB). Er zijn verschillende typen geheugenkaarten in diverse formaten:

- Secure Digital (SD; ook verkrijgbaar in micro- en minivariant, bruikbaar met adapter);
- Extreme Digital (xD);
- Memory Stick;
- CompactFlash (CF) I en II.

De SD-kaart is veruit het populairst. De xD-kaart wordt eigenlijk alleen gebruikt door Olympus en Sony blijft vasthouden aan zijn eigen Memory Stick. De CompactFlash-kaart wordt eigenlijk alleen nog gebruikt in DSLR-camera's.

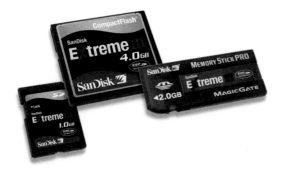

## 2.3 Pixels en beeldkwaliteit

Een pixel (de afkorting van *picture element*) is het kleinste onderdeel in een digitaal beeld. De opbouw van het beeld wordt gemeten in het aantal *pixels per inch* (PPI). Hoe hoger het aantal pixels in een foto, hoe meer detail. Maar ook: hoe groter het bestand. De benodigde resolutie is afhankelijk van het doel waarvoor u de foto's wilt gaan gebruiken. Stel de kwaliteit daarom in voordat u de foto gaat maken. Denk er daarbij aan dat u de kwaliteit nooit meer kunt verbeteren, maar later nog wel kunt verminderen. De computer kan ontbrekende details niet toevoegen, hoe hoog u de resolutie achteraf ook maakt.

Als u een lageresolutiefoto vergroot, berekent de computer nieuwe tussenliggende pixels aan de hand van het oorspronkelijke materiaal (interpolatie). Simpel gezegd: tussen een witte pixel en een zwarte pixel wordt een pixel geplaatst die 50% van beide is (grijs). En hierin zijn allerlei variaties mogelijk, afhankelijk van de pixelkleuren. Dit proces levert uiteindelijk minder scherpe afbeeldingen op, zeker bij sterke vergrotingen.

Uit een hogeresolutiefoto kan zonder problemen een uitsnede van goede kwaliteit gemaakt worden, iets wat bij een lage resolutie vaak moeilijk is.

- PPI (pixels per inch): resolutie van het fotobestand,
  de kleurpixels. Dit begrip
  wordt gebruikt zolang de
  foto in digitale vorm is.
  Elke pixel heeft zijn eigen
  unieke kleur, opgebouwd
  uit rood, groen en blauw
  licht.
- DPI (dots per inch): reso
  lutie van de foto bij het
  afdrukken, het aantal inktdruppels op papier. Bij het
  afdrukken heeft elke dot
  zijn eigen kleur (cyaan,
  magenta, geel of zwart,
  vaak afgekort tot CMYK,
  van *cyan, magenta, yellow,
  black*). Om een specifieke
  kleur af te drukken, zijn
  van elke inktkleur druppels van verschillende
  grootte nodig. Het begrip
  wordt ook gebruikt om de
  kwaliteit van een printer
  aan te geven.

*De verschillende zoomniveaus, in de maximale zoomweergave (3200%)
zijn de pixels heel goed zichtbaar*

Meestal wordt de beeldkwaliteit aangeduid in *dots per inch* (DPI),
maar dat is eigenlijk niet juist. De dots zijn namelijk de puntjes waaruit het beeld wordt opgebouwd als het wordt afgedrukt, terwijl de
pixels de opbouw van het eigenlijke beeld bepalen. PPI en DPI zijn
echter wel afhankelijk van elkaar: is de resolutie in PPI van het originele beeld laag, bijvoorbeeld 20, dan wordt het beeld niet beter door
de afdrukkwaliteit te 'verhogen' naar bijvoorbeeld 1200 DPI. Het beeld
wordt dan wel groter, maar niet scherper.
In de praktijk worden deze begrippen door zowel amateurs als professionals door elkaar gebruikt, omdat beide afkortingen de resolutie
van de foto betreffen. DPI komt daarbij het meest voor.

### 2.3a   Gewenste instellingen

De volgende resoluties gelden globaal voor het gebruik dat erachter
vermeld staat. U kunt de resolutie aanpassen op het moment dat u
een foto bewerkt. In Photoshop Elements 7 doet u dit via het menu
*Afbeelding, Vergroten/Verkleinen, Afbeeldingsgrootte*.

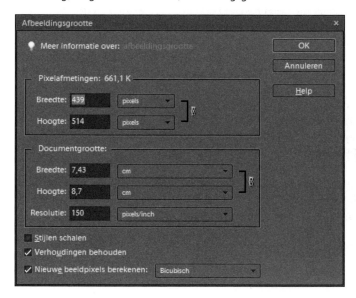

- 72-96 PPI: gebruik op computer of tv (plaatjes op internet, in e-mail, voor Powerpoint-presentaties of als bureaubladachter-grond);
- 100-200 PPI: inkjet- of laserprinter voor bestanden waarvoor een gemiddelde of redelijk goede kwaliteit voldoende is (bijvoorbeeld een nieuwsbrief);
- 200-300 PPI: scherpe tot haarscherpe fotoafdrukken op een inkjet-printer;
- 300 PPI en hoger: afbeeldingen in tijdschriften en boeken, waarbij 300 PPI de standaard is (ook in dit boek). Hogere resoluties worden gebruikt voor drukwerk met nog meer kwaliteit, zoals catalogi van musea.

*300 px/inch*  *150 px/inch*  *72 px/inch*  *32 px/inch*  *16 px/inch*

### 2.3b  *Resolutie en de camera*

De term 'resolutie' wordt bij digitale camera's vaak gebruikt om aan te geven hoeveel horizontale en verticale pixels het beeld bevat (bij-voorbeeld 640x480 of 2560x1920). Men spreekt bij digitale camera's over megapixels. Eén megapixel is gelijk aan een miljoen pixels, twee megapixels aan twee miljoen pixels, enzovoort.
In de onderstaande afbeeldingen ziet u het verschil: de eerste foto is genomen met een mobiele telefoon (resolutie 640x480), de tweede met een compactcamera (2592x1944) en de derde met een DSLR-camera (4288x2848). De eerste foto levert bij afdrukken een onscherp resultaat, de tweede is goed en de derde geeft zelfs op groot formaat zeer goede afdrukken.

*640x480*

*2592x1944*

*4288x2848*

Als u grote afdrukken en een hoge kwaliteit wilt, kies dan een 8-megapixelcamera of meer. Dat is geen enkel probleem, want de instapmodellen beschikken vaak al over zoveel megapixels (zie de beeldkwaliteit in de tests van de Consumentengids of – alleen voor leden – op www.consumentenbond.nl).

### 2.3c  Resolutie bepalen voor het maken van afdrukken

De begrippen 'DPI' en 'PPI' worden actueel als u gaat afdrukken. Om een pixel in een specifieke kleur af te drukken, moet een CMYK-inkjetprinter vier inktdruppeltjes van de vier kleuren in een bepaald patroon op het papier spuiten. Zo zijn er voor iedere beeldpixel (PPI) vier inktdruppels nodig (vier dots van DPI's). Beschikt u bijvoorbeeld over een 1440 DPI-printer dan is het niet nodig een afbeelding met een resolutie van 1440 PPI af te drukken. U stuurt zo een heleboel onnodige informatie naar de printer. Beter zou zijn: de resolutie van de printer gedeeld door het aantal inkten. Bij een 1440 DPI-printer is dat 360 PPI en bij een 1200 DPI-printer is 300 PPI voldoende om een maximale kwaliteit te bereiken. Een ruwe methode om een goede resolutie voor een afdruk te berekenen, is de vermenigvuldiging van het gewenste formaat (in centimeters) met honderd. Wilt u de foto bijvoorbeeld op 10x15 cm afdrukken dan is een resolutie van 1000x1500 pixels vereist. Dit komt overeen met een afdruk van ongeveer 250 DPI.

Om zelf te kunnen beoordelen wat het verschil is en welke kwaliteit u nodig heeft, drukt u verschillende versies van dezelfde foto op dezelfde grootte af, bijvoorbeeld 10x15 en 20x30 cm. Gebruik voor iedere afdruk een andere resolutie. Maak eventueel vooraf de foto op verschillende resoluties aan en bewaar elk als een apart bestand. Geef deze bestanden namen die bij de resolutie passen, bijvoorbeeld 'foto300ppi', 'foto250ppi' en 'foto200ppi'. Het verschil tussen de hoogste en laagste kwaliteit kunt u waarschijnlijk zonder loep zien, het verschil tussen 250 en 300 DPI zal moeilijker zijn. Vaak is het verschil dan niet in de afdrukpunten te zien, maar in de detaillering van schaduw- en kleurvlakken. Zo kunt u aan de hand van de kwaliteit in de praktijk beoordelen welke instelling u het best kunt kiezen.

Zo gauw u de afdrukresolutie heeft bepaald, kunt u uitrekenen wat de cameraresolutie moet zijn. Deze berekening gaat in inches (1 inch = 2,54 cm). Stel, u wilt foto's afdrukken op een formaat van 30x20 cm (11,8x7,9 inch) met een resolutie van 200 PPI. U heeft dan nodig:

- 11,8 inch x 200 PPI = 2360 pixels;
- 7,9 inch x 200 PPI = 1580 pixels.

## Benodigd aantal megapixels

| MP | 10 cm | 15 cm | 20 cm | 25 cm | **30 cm** | 35 cm | 40 cm | 45 cm | 50 cm |
|---|---|---|---|---|---|---|---|---|---|
| 10 cm | 0,6 | 0,9 | | | | | | | |
| 15 cm | 0,9 | 1,4 | 1,9 | | | | | | |
| **20 cm** | | 1,9 | 2,5 | 3,1 | **3,7** | 4,3 | | | |
| 25 cm | | 2,3 | 3,1 | 3,9 | 4,7 | 5,4 | 6,2 | 7,0 | |
| 30 cm | | | 3,7 | 4,7 | 5,6 | 6,5 | 7,4 | 8,4 | 9,3 |
| 35 cm | | | 4,3 | 5,4 | 6,5 | 7,6 | 8,7 | 9,8 | 10,9 |
| 40 cm | | | | 6,2 | 7,4 | 8,7 | 9,9 | 11,2 | 12,4 |
| 45 cm | | | | 7,0 | 8,4 | 9,8 | 11,2 | 12,6 | 14,0 |
| 50 cm | | | | | 9,3 | 10,9 | 12,4 | 14,0 | 15,5 |

Voor de gewenste afdruk van 30x20 cm betekent dit een afbeelding van 2360x1580 pixels. Nieuwe camera's voldoen makkelijk aan deze eis. Een andere manier om snel de benodigde megapixels voor een afdruk te berekenen, uitgaande van een afdrukkwaliteit van 250 PPI is:

> hoogte x breedte (gewenste formaat in centimeters) x 100 = resolutie in pixels. Deel het resultaat door 1.000.000 en u krijgt het aantal benodigde megapixels.
> - Een afdruk van 10x15 cm: 10x15x100 = 1.500.000px : 1.000.000 = 1,5 megapixel
> - Een afdruk op A4-formaat: 21x29,7x100 = 6.237.000px : 1.000.000 = 6,2 megapixel

Als de afdruk een bepaald formaat overstijgt, bijvoorbeeld 50 cm zoals bij miniposters, zal de foto van verderaf worden bekeken en kan een lagere afdrukdichtheid al ruim voldoende zijn (bijvoorbeeld 150 of zelfs 100 PPI). Zo worden billboards met hun formaat van drie bij vier meter – of nog groter – van ruime afstand bekeken en kan een afdrukkwaliteit van 35-75 PPI toereikend zijn. Dit is haalbaar met een 11- tot 50-megapixelcamera – iets wat met verschillende van de huidige consumentencamera's dus al kan.

## 2.4  Kleur en kleurdiepte

Heel belangrijk voor afbeeldingen zijn natuurlijk de kleuren. Kleurinformatie wordt opgeslagen in de kleinste eenheid waarmee in computers gerekend wordt: een bit. Hoe meer bits worden gebruikt per pixel, hoe meer kleuren gemaakt kunnen worden. We spreken dan van kleurdiepte. Geen apparaat of kleursysteem kan zoveel kleuren weergeven als het menselijk oog waarneemt. Ieder kleursysteem bestrijkt een bepaald (beperkt) gamma. Twee systemen zijn voor ons belangrijk: RGB (licht: beeldschermen, camera's en scanners) en CMYK (inkt: printers). Bepaalde RGB-kleuren vallen buiten het bereik (spectrum) van CMYK. U merkt dit bij het maken van een kleurenprint; de afdruk ziet er qua kleur vaak heel anders uit dan op het beeldscherm.

> **⚠ Beeldschermkalibratie**
> Als u uw foto's tot in detail wilt kunnen bekijken en/of wilt gaan bewerken, is een flink beeldoppervlak eigenlijk onontbeerlijk. Niet alleen de afbeelding moet op het scherm passen, maar ook de paletten en andere venstertjes waarmee u de foto kunt bewerken. Hoewel bij thuisgebruik een beeldscherm zelden is/wordt gekalibreerd, is het voor een accuraat eindresultaat eigenlijk het best dit wel te doen. Het kalibreren kan met software of speciale hardware (bijvoorbeeld ColorVision Spyder).

### 2.4a  RGB

De meeste digitale beelden worden aangeleverd als JPEG-bestand. Dit formaat werkt met het kleurensysteem RGB. Bij RGB worden drie kleurkanalen gebruikt: rood, groen en blauw. Het mengen van deze drie kleuren levert wit op. Iedere pixel in een kleurkanaal kan 256 helderheidswaarden bevatten. Deze waarden variëren van 0 (donker) tot 255 (licht). De samenvoeging van de drie kleurkanalen (256x256x256) geeft ruim 16,7 miljoen kleurencombinaties. RGB wordt door vrijwel alle beeldapparatuur gebruikt (zoals scanners, video- en fotocamera's, beamers, computer- en tv-beeldschermen).

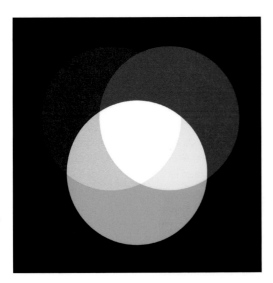

### 2.4b  *CMYK*

Wie een inkjetprinter heeft, zal weliswaar inktpatronen moeten kopen voor de verschillende kleuren, maar verder is de term 'CMYK' voor de doorsneegebruiker niet zo belangrijk. De bewerking van foto's vindt plaats op een beeldscherm (RGB), terwijl de afdruk wordt gemaakt met de printer (CMYK), maar de omzetting gaat automatisch. Een kleurafwijking is onvermijdelijk, vooral in blauwe, heldere tinten en dieprode en oranje kleuren.

Er moet echter wel vermeld worden dat de meeste kleurenprinters zo goed zijn, dat de kleurafwijkingen normaal gesproken vrijwel niet meer waarneembaar zijn (tenzij het beeldscherm geheel anders is ingesteld). Kleuren worden bij CMYK gemaakt door cyaan, magenta en geel te combineren; het mengen levert een donkere kleur op. Omdat deze combinatie bij gebruik van inkt nooit volledig zwart oplevert, wordt bij het drukproces zwart toegevoegd voor een beter contrast en een betere zwartweergave. Er wordt bij de CMYK-druktechniek gebruikgemaakt van vier kleurplaten, vandaar dat fullcolourdruk vaak ook vierkleurendruk wordt genoemd.

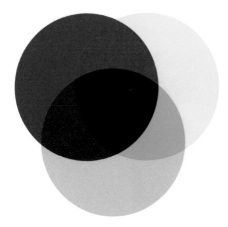

## 2.5 Kleuren en beeldbestanden

Een echt zwart-witbeeld gebruikt slechts 1 bit per pixel, terwijl voor een beeld dat uit 256 grijswaarden bestaat 8 bits (= 1 byte) nodig zijn; de helderheidswaarden variëren dan van 0 (zwart) tot 255 (wit). Een fullcolourafbeelding wordt in drie kleuren opgebouwd (rood, groen en blauw) en heeft 3x8 = 24 bits nodig. Dit geeft een bereik van ruim 16,7 miljoen kleuren. In de voorgaande paragraaf kwam CMYK al aan de orde. We gaan hier verder in op zwart-wit bitmap, grijswaarden en geïndexeerde kleur.

*Foto in full colour (RGB)*

### 2.5a *Zwart-wit bitmap*

In een zwart-wit bitmap kunnen slechts twee kleuren worden weergegeven: zwart en wit. Het is een goede manier om de bestandsgrootte flink terug te brengen, maar u verliest wel alle kleuren en alle grijstinten. Als u een RGB-afbeelding wilt omzetten naar zwart-wit bitmap dan moet deze eerst omgezet worden naar grijsschaal en daarna naar zwart-wit bitmap. De manier waarop de zwart-witafbeeldingen worden ingesteld verschilt. Een afbeelding zonder verloop wordt blokkerig, vandaar dat sommige programma's de pixels verspreiden in puntjespatronen, *dithering* genoemd. Daarmee ontstaat tegelijkertijd de mogelijkheid tussenliggende grijstinten te simuleren. Dit kan ook een lelijk effect opleveren. Daarom gebruiken veel programma's diffusiedithering. Hierbij zijn pixelpatronen ogenschijnlijk willekeurig verspreid, maar toch levert deze methode grijstinten op en ontstaan er bovendien minder hinderlijke patronen.

*Foto als bitmapversie in zwart-wit*

### 2.5b  *Grijswaarden*

Zwart-witfoto's hebben slechts één kleur nodig bij het afdrukken:
zwart. Afhankelijk van de intensiteit ontstaat er wit (0% zwart), zwart
(100% zwart) of een van de vele tussenliggende grijstinten (1-99%
zwart). Op de computer kan met beeldbewerkingssoftware de grijs-
waarde ingesteld worden.

*Grijsschaalversie van foto*

### 2.5c  *Geïndexeerde kleur*

Het gebruik van geïndexeerde kleuren is afkomstig uit het tijdperk
dat videokaarten nog niet zo goed en snel waren als nu. De eerste
computers met kleurenweergave gebruikten de zestien kleuren
bevattende cga-modus (*Color Graphics Adapter*). Tegenwoordig
worden geïndexeerde kleuren veel gebruikt op internet bij gif-
afbeeldingen. Bij geïndexeerde kleuren kunnen er tot 256 kleuren
gebruikt worden. Het verschil met een grijswaardenafbeelding is dat
er kleuren gebruikt worden in plaats van helderheidswaarden. Bij
het samenstellen van een geïndexeerd kleurbereik wordt gekeken
naar de meest voorkomende kleuren in een afbeelding; deze worden
in de kleurentabel van de foto opgenomen. Kleuren die buiten het
bereik vallen, worden gesimuleerd door kleuren uit de tabel te combineren. Geïndexeerde kleuren kunnen goed gebruikt worden bij
afbeeldingen met een beperkt aantal kleuren, zoals pentekeningen,
cartoons, landkaarten of bedrijfslogo's.

*Geïndexeerde kleurenversie van foto (16 kleuren)*

## 2.6 Beeldformaten

Er zijn erg veel formaten waarin afbeeldingen kunnen worden opgeslagen, maar we beperken ons tot de meestgebruikte: JPEG, RAW, GIF, TIFF, PSD en PNG. De meeste beeldbewerkingsprogramma's werken met een eigen formaat waarin alle mogelijkheden van dat programma optimaal worden ondersteund.

### 2.6a  JPEG

JPEG is de afkorting van *Joined Photographic Experts Group*. Het is samen met GIF het meestgebruikte formaat voor afbeeldingen op computerschermen. Alle digitale camera's slaan foto's automatisch in het JPEG-formaat op. JPEG past compressie met verlies toe. Dit betekent dat bepaalde beeldinformatie wordt weggelaten om de bestandsgrootte te beperken. Vooral op internet is die bestandsgrootte heel belangrijk: hoe kleiner het bestand, des te sneller de beelden kunnen worden verzonden en opgehaald. De mate van compressie kunt u (handmatig) bepalen bij het bewaren van het bestand. Als u de standaard compressie-instellingen in het beeldbewerkingsprogramma gebruikt, zal het kwaliteitsverlies nauwelijks zichtbaar zijn.

Een groot voordeel van JPEG ten opzichte van bijvoorbeeld GIF is de mogelijkheid om 16,7 miljoen kleuren te gebruiken (GIF gebruikt zoals gezegd 256 geïndexeerde kleuren); voor een foto met een grote kleurvariatie is dat essentieel.

Iedere keer als u een fotobestand opent, bewerkt en weer opslaat in JPEG, gaat dat gepaard met kwaliteitsverlies. Vóór de bewerking kunt u de foto daarom het best omzetten naar TIFF-formaat (groot, maar zonder verlies van pixels). Als u klaar bent, kunt u de bewerkte foto opslaan als JPEG. Zo houdt u het kwaliteitsverlies zo klein mogelijk. Gooi de TIFF-versie niet weg – misschien wilt u later nog meer bewerkingen uitvoeren.

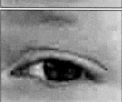

*1 Lage compressie/hoge kwaliteit*

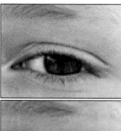

*2 Middelcompressie/middelkwaliteit*

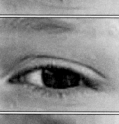

*3 Hoge compressie/lage kwaliteit*

### 2.6b  *RAW: digitaal negatief*

De beschikbaarheid van het RAW-formaat is merk- en modelafhan-
kelijk; sommige digitale camera's hebben er een speciale bestands-
extensie voor, bijvoorbeeld .CR2. Bij een RAW-bestand wordt de
beeldinformatie opgeslagen zonder haar te ordenen, decoderen
of comprimeren. RAW zou het digitale equivalent van een negatief
genoemd kunnen worden. De digitale camera stuurt alle informatie
die het CCD-element waarneemt rechtstreeks naar het RAW-bestand. Er
vindt geen correctie of compressie plaats. Pas bij het openen van de
foto in een beeldbewerkingsprogramma kunnen instellingen worden
aangepast en correcties worden doorgevoerd.
Een groot voordeel van RAW is dat de gebruiker meer invloed heeft
op het resultaat. Er heeft immers vooraf geen beperking plaatsge-
vonden die niet omkeerbaar is. Kenmerkend is de grotere kleurdiepte, en daardoor een optimaal kleurbereik in het eindresultaat. Een
nadeel van RAW is dat het meer kleurkennis van de gebruiker vraagt
en bij het openen en converteren is de standaardoptie vaak beter
dan wat mensen ervan proberen te maken. Om de gewenste resultaten te kunnen bereiken, zijn ervaring en training nodig.

 Niet alle beeldbewer-
kingsprogramma's
kunnen de RAW-bestanden
openen. Soms moet de RAW-
foto eerst met behulp van de
bij de camera meegeleverde
software worden omgezet.

### 2.6c  *GIF: transparantie en animatie*

GIF is de afkorting van *Graphics Interchange Format*. Het formaat is net
als JPEG populair voor gebruik op de computer. GIF kan met niet meer
dan 256 kleuren werken en is daardoor bij uitstek geschikt voor grijs-
schaalafbeeldingen of afbeeldingen met een beperkt aantal kleuren,
zoals logo's, lijntekeningen, teksten, cartoons of landkaarten. Een
groot verschil met JPEG is dat GIF-bestanden gecomprimeerd worden
zonder verlies. De beeldinformatie wordt dus niet aangetast. Een GIF-
bestand wordt kleiner naarmate er minder kleuren worden gebruikt
en er meer grote vlakken van één kleur in de afbeelding voorkomen.
GIF heeft nog twee eigenschappen die het formaat zeer aantrekke-
lijk maken voor internet. Allereerst kunnen transparanties worden
gebruikt. Dit kan mooi zijn als u een object tegen een gekleurde
achtergrond wilt plaatsen. Daarnaast is het mogelijk animaties te
maken: meerdere plaatjes kunnen als reeks opgeslagen worden in
één bestand. Als het GIF-bestand wordt geopend, worden de plaatjes
automatisch na elkaar afgespeeld.

### 2.6d  *TIFF*

TIFF is de afkorting van *Tagged Image File Format*. Een TIFF-afbeelding
bevat de volledige informatie van elke pixel in de afbeelding; er
wordt geen compressie toegepast. TIFF wordt in de grafische indus-
trie vaak gebruikt voor professioneel drukwerk waarbij bestandsgrootte geen rol speelt, maar optimale kwaliteit wel.
Het beeldformaat TIFF is niet geschikt voor internet, want de bestanden zijn te groot. Browserversies van Internet Explorer, Netscape en
Mozilla Firefox ondersteunen geen TIFF-afbeeldingen in webpagina's,
ze kunnen de afbeelding wel in een apart venster weergeven. Safari
kan TIFF's zowel in een webpagina als apart tonen.

### 2.6e    PSD: Photoshop

PSD is de afkorting van *Photoshop Document*. PSD is het eigen beeld-formaat van Adobe Photoshop en Adobe Photoshop Elements. Qua mogelijkheden is het gelijk aan TIFF, maar het beschikt over een aantal extra's. PSD heeft meer opties voor het werken met en opslaan van diverse lagen. Deze kunnen op een later moment nog worden bewerkt. In een PSD-bestand wordt geen compressie toegepast.

### 2.6f    PNG

PNG (*Portable Network Graphics*) is net als TIFF en PSD een alleskunner. Daarnaast beschikt het over de mogelijkheden van zowel GIF als JPEG, maar de compressiemogelijkheden zijn beperkter. Daarom is het minder populair. PNG is vooral bekend als het eigen bestandsformaat voor de Macromedia-programma's. PNG is geschikt voor gebruik op internet, maar kan ook toegepast worden in drukwerk.

# De mogelijkheden
# van uw camera

## 3

Het maken van een foto lijkt zo eenvoudig: u richt de camera op een onderwerp en drukt de afdrukknop in. Maar iedereen die weleens foto's maakt, weet hoe teleurstellend het eindresultaat kan zijn. Anderzijds zult u soms totaal onverwacht een foto maken die een ereplaats verdient. De tips, technieken en oefeningen in de komende hoofdstukken zullen u ongetwijfeld helpen betere foto's te gaan maken – al moet u om een goede fotograaf te worden natuurlijk ook gewoon veel foto's maken. Na een poosje zult u merken dat de opgedane kennis vruchten afwerpt. Het is leuk om gericht op een bepaald onderwerp af te gaan, foto's te maken en het eindresultaat kritisch te bekijken. Vooral dit laatste is belangrijk om uw gevoel voor kleur, compositie, perspectief en verhoudingen te ontwikkelen.
Om betere foto's te maken, zijn de volgende punten essentieel:
· kennis van de camera;
· compositie (rangschikking van voorwerpen en figuren);
· perspectief en afstand (ruimtelijke werking van de foto);
· licht (daglicht, kunstlicht, flitslicht);
· standpunt (de positie waarvandaan de foto wordt genomen).

Het eerste onderdeel komt in dit hoofdstuk aan de orde, de andere worden uitgebreid behandeld in hoofdstuk 4.

Oefen met de verschillende instelmogelijkheden van uw camera – met een digitale camera heeft u immers genoeg opslagruimte en u kunt mislukte foto's meteen weggooien. Professionele fotografen maken foto's op diverse manieren, bijvoorbeeld van bovenaf, onderaf en opzij. Ook spontane foto's maken is leuk. Later kunt u een prachtige compositie maken door een goede uitsnede te kiezen. Maak veel foto's van één onderwerp, en kies later thuis welke u gebruikt.
Voor de meeste foto's in dit boek hebben we een Canon PowerShot gebruikt, een eenvoudig te bedienen en kwalitatief goede camera, die model kan staan voor de meeste populaire digitale camera's van andere merken.
In de *Digitaalgids* en de *Consumentengids* verschijnen regelmatig tests van digitale camera's, dus als u niet weet welke camera u moet kiezen, raadpleeg dan deze bladen of www.consumentenbond.nl (alleen voor leden).

## 3.1    Programmakeuze

Uw camera is voorgeprogrammeerd. U stelt met de keuzeknop in welk programma u wilt gebruiken. Op deze knop is een aantal mogelijkheden beschikbaar en elk daarvan zal de camera anders laten reageren. Het is belangrijk te weten wat elke knop doet en hoe de camera reageert in een bepaalde stand.

*Programmakeuze op de Nikon D40*

## 3.2 Auto

Vrijwel iedere camera beschikt over een speciale stand (auto) waarin
het apparaat zelf bepaalt welke instellingen gebruikt worden en of er
geflitst moet worden. Makkelijk als u even geen tijd heeft om na te
denken en gewoonweg wilt fotograferen.

*Flitsen of niet?*
Sommige camera's beschikken over een extra autostand, waarbij de
flitsfunctie onderdrukt wordt. Bij andere camera's zit deze functie
onder een aparte knop waarmee u de flitsfuncties instelt: geen flits,
automatische flits of geforceerde flits.

> **Oefening 1**
> Deze oefening kan het best uitgevoerd worden als de zon zijn laatste
> stralen door het raam werpt (of eventueel in de vroege ochtend). Probeer
> het schaduwspel te vangen. Zet de camera in de (huis)kamer op een
> statief (dit kan ook een tafel of een stoel zijn) en fotografeer de muur
> waarop het licht en het schaduwspel te zien zijn. Maak dezelfde foto
> nogmaals en gebruik daarbij de flitser. Vergelijk de resultaten.

> **Oefening 2**
> Vraag iemand om te poseren (of gebruik een paspop of speelgoedpop).
> Laat het model voor een muur gaan staan, waarbij het licht door het
> raam van links of rechts komt. Maak een foto zonder flits. Mogelijk heeft
> u een statief nodig (dit kan ook een tafel of een stoel zijn). Maak dezelfde
> foto nogmaals en gebruik daarbij de flitser. Vergelijk de resultaten.

## 3.3  PASM

Op vrijwel iedere camera zit een keuzeknop voor de programmakeuze met de letters PASM. Deze staan voor vier instellingen:
*Program, Aperture, Shutter* en *Manual*. Tegenwoordig worden voor
de 'A' en 'S' ook wel de aanduidingen 'Av' en 'Tv' gebruikt, afkortingen
van *Aperture Value* en *Time Value*. De functie is echter gelijk aan de
gebruikelijke aperture- en shutter-instelling.

*Programmastand op de Canon EOS450*

De programmastand komt sterk overeen met de autostand, met het
verschil dat de gebruiker iets meer instellingsmogelijkheden heeft,
zoals het gebruik van een flitser of belichtingscorrectie.

### 3.3a  *Aperture en scherptediepte*
De aperture-stand (A of Av) heet in het Nederlands diafragma of
lensopening. Deze stand bestuurt de diafragma-instelling in de lens
en bepaalt hoeveel licht er binnenkomt: een kleine opening laat weinig licht door en een grote opening heel veel. Hiermee beïnvloedt
u de opnametijd, maar door de eigenschappen van de lensopening
heeft de aperture ook invloed op het scherptedieptebereik. Hoe kleiner de lensopening, des te scherper het beeld. (Denk aan de camera
obscura uit hoofdstuk 1.) Er komen door een kleine opening minder
lichtstralen naar binnen, terwijl bij een grote lensopening meer lichtstralen binnenkomen en vanuit meerdere hoeken – het beeld zal dan
beperkt scherp zijn.

f/2       f/2.8

f/4       f/5.6

f/8       f/11

f/16      f/22

### Oefening
Zet de camera in de aperture-stand en neem vanaf een vast standpunt
foto's. Zorg er hierbij voor dat de camera in verschillende aperture-stan-
den foto's maakt, zoals f/2, f/2.8 en f/4. Negeer eventuele over- of onder-
belichtingswaarschuwingen. Zorg ervoor dat u steeds dezelfde scène
fotografeert. Bekijk de foto's op de computer en vergelijk ze met elkaar.
De resultaten komen het best tot hun recht als er een reeks voorwerpen
achter elkaar is opgesteld; dit kan ook een wegdek met strepen of een
stenen muur zijn. Belangrijk is dat u de zones met verschillende scherptes
kunt identificeren. Het resultaat is zeer afhankelijk van het type camera
(compact of DSLR) en het objectief.

In de aperture-stand stelt de gebruiker de lensopening in en de camera zoekt een bijpassende sluitersnelheid. Met deze instelling kan het scherptedieptebereik worden geregeld: weinig scherptediepte, bijvoorbeeld voor een portret, of veel scherptediepte, bijvoorbeeld voor een landschap.

*Scherptediepte*
Scherptediepte is een term die gebruikt wordt om aan te geven welk gebied in een foto scherp zal zijn. Als u een foto bekijkt, zult u mogelijk opmerken dat objecten in de voorgrond onscherp zijn, terwijl het hoofdonderwerp scherp is en de achtergrond weer onscherp. Afhankelijk van de instelling van de lensopening is het bereik van het scherpe gebied groter of kleiner. Het symbool 8 of ∞ wordt gebruikt om de afstand oneindig aan te geven.

*Bij deze lens hebben we de stand van het diafragma zichtbaar gemaakt*

Onscherpe foto's zijn vaak het resultaat van (naast bewegen) automatisch scherpstellen en het bijbehorende scherptedieptebereik. Doordat de camera op een verkeerd punt scherpstelt (op wat te dichtbij of juist veraf ligt) kan het gewenste onderwerp buiten het scherpe bereik vallen. Om dit te voorkomen moet u controleren of de camera wel op het juiste punt scherpstelt; dit wordt met een kader in het venster of op het lcd-scherm aangegeven. Maar u kunt het diafragma (aperture) ook aanpassen door een kleinere lensopening te kiezen. Zet de camera op de A-stand en stel het diafragma in op een zo groot mogelijke waarde – op sommige compactcamera's is het maximum 8, op DSLR-camera's is dit makkelijk 16 of 22 en in combinatie met sommige lenzen zelfs 32. Het scherptedieptebereik neemt daardoor toe en de kans op minder scherpe foto's wordt kleiner. Het nadeel is dat er wel een langere belichtingstijd nodig is – en als de sluitertijd te lang wordt (onder 1/125) neemt de kans op bewegen toe of moet u gebruik gaan maken van een statief.

> **!** Compactcamera's met een kleine sensor zijn in het voordeel als het om scherptedieptebereik gaat, het effectieve scherptediepte-bereik is groter dan bij grotere (DSLR-)camera's. Aan de andere kant: wie creatief wil omgaan met de camera kan juist minder makkelijk spelen met het scherptedieptebereik. Op een compactcamera met een kleine sensor is het moeilijker om opzettelijk een gedeelte onscherp (uit focus) te krijgen.

### 3.3b *Shutter*

In de S- of Tv-stand (shutter of sluitertijd) bepaalt de gebruiker de sluitersnelheid, waarna de camera de bijpassende lensopening zoekt. Met deze instelling kan beweging worden beïnvloed. Bij een lange sluitertijd ontstaan bewegende/vervaagde objecten, bijvoorbeeld een straatbeeld waarin de achtergrond scherp is, maar mensen, auto's en fietsers licht tot extreem vervaagd zijn. Dit is afhankelijk van de belichtingsduur. Met een heel korte sluitertijd kunt u snelle objecten 'bevriezen', zoals de wieken van een helikopter, vallende waterdruppels of een sporter in actie.

Naar gelang het gewenste effect kan men een korte of lange sluitertijd kiezen. Maar het kan ook zijn dat het object om een bepaalde instelling vraagt. Een landschap beweegt niet, dus is een lange sluitertijd mogelijk en wordt het hele landschap scherp, de lange sluitertijd heeft als voordeel dat er een groot diafragma (f/8-f/22) gebruikt kan worden, waardoor een extra grote scherptediepte in het beeld ontstaat.

*Bij deze foto is een lange sluitersnelheid gebruikt*

Als u snel bewegende objecten wilt fotograferen, zoals een race-auto of een vliegtuig, dan is het noodzakelijk een korte sluitertijd te gebruiken. Bij een korte sluitertijd kiest de camera automatisch een groter diafragma (= kleinere diafragmawaarde: f/2.8-f/4), met als gevolg een kort scherptedieptebereik. Het is hierbij zaak goed scherp te stellen op de plek waar u het hoofdonderwerp verwacht. De raceauto zal dan scherp in beeld komen, terwijl de achtergrond vervaagd is door het korte scherptedieptebereik.

### Oefening

Zet de camera in de S-stand (of Tv) en neem foto's vanaf een vast standpunt. Zorg er hierbij voor dat de camera met verschillende sluitersnelheden foto's maakt (bijvoorbeeld 1/1000, 1/500, 1/100, 1/50, 1/10, 1sec, 2sec, f/2, f/2.8, f/4). Belangrijk zijn bewegende objecten in de voorgrond en tussen voorgrond en achtergrond (autoweg, fietspad, water). Zorg ervoor dat u steeds in dezelfde richting fotografeert. De opnamen met een lange sluitertijd kunnen het best vanaf een statief gemaakt worden, tenzij u een heel stabiele hand heeft. Bekijk de foto's op de computer en vergelijk deze met elkaar. Afhankelijk van de snelheid zal een object vervaagd in beeld zijn (langzame opname) of bevroren lijken (snelle opname). De achtergrond zal in alle gevallen scherp zijn.

### 3.3c  *Handmatig instellen*

In de *manual*-stand (handmatig) stelt de gebruiker zowel de lensopening als de sluitersnelheid in. U heeft zo maximale controle over het eindresultaat. De kans dat het misgaat is wel veel groter, want de camera zal niet meer corrigeren door zelf een bijpassende instelling voor lensopening of sluitersnelheid te kiezen.

De camera is toch nog enigszins behulpzaam, want in de zoeker leest u niet alleen de gekozen lensopening en de sluitersnelheid, maar ziet u ook wat de camera van de belichting vindt. In de zoeker of op het lcd-scherm kunt u aflezen in hoeverre uw instelling afwijkt van de – volgens de camera – ideale instelling. Of u de instellingen dan nog wilt aanpassen, is natuurlijk aan uzelf.

*Instellingsinformatie in de zoeker van de camera. Ter verduidelijking zijn sluitertijd en lensopening aangegeven met oranje, het belichtingsverschil met groen*

> ✳ Als het niet lukt de
> laagste diafragma-
> waarde te kiezen, zoom dan
> verder uit. Helemaal inge-
> zoomd kan de lensopening
> bij een compactcamera nooit
> zo groot zijn als in groot-
> hoekstand.

**Oefening**

Stel de camera handmatig in en maak een reeks foto's volgens het onderstaande raster. Gebruik de zwarte tekst als basisinstelling, begin met
een lensopening f/2 (of een waarde die zo dicht mogelijk daarbij ligt) en
maak vervolgens een foto op de snelheden 1/1000, 1/500, 1/100, 1/50 en
1sec. Herhaal dit met de overige lensopeninginstellingen. U kunt het raster gebruiken om gemaakte foto's af te vinken of te nummeren. Gebruik
als codering bijvoorbeeld de gemaakte aperture/shutter-instelling: A02-
S1.1000.

Als u wilt, en de camera biedt de mogelijkheden, dan kunt u ook andere
instellingen kiezen (zoals met lichtgrijs is aangegeven). U kunt het raster
natuurlijk ook uitbreiden of aanpassen.

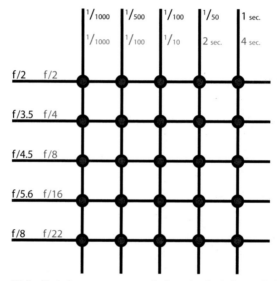

*Welke lijn in het raster zou gevolgd worden in de A-stand of de S-stand?*

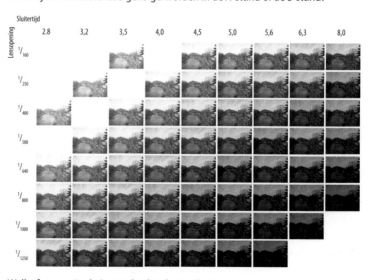

*Welke foto zou in de P-stand gebruikt worden?*

## 3.4 Scène-instellingen

Naast de automatische en PASM-instellingen bieden camera's diverse programma-instellingen voor speciale toepassingen: portret, nacht, kunstlicht, flora, kinderen, onder water, vuurwerk, enzovoort. Soms zijn het er zoveel, dat u daardoor de draad wellicht kwijtraakt. De camera werkt dan als in de P-stand, maar past de instellingen aan de gekozen voorprogrammering aan om een optimaal resultaat te behalen.

Afhankelijk van het merk camera zijn de scène-instellingen beschikbaar met de keuzeknop of via een schermmenu. Soms ook zit een beperkt aantal onder de keuzeknop en is het complete overzicht via een menu op het lcd-scherm te vinden.

We bespreken een paar veelvoorkomende scène-instellingen.

*Symbolen voor: night snapshot, kinderen en huisdieren, binnenopnamen (feestjes), sneeuwopnamen, strandopnamen, onderwateropnamen, flora en vuurwerk*

### Night snapshot
Met deze instelling kunt u mensen fotograferen tegen een schaduwrijke of nachtelijke achtergrond door het verminderen van de camerabeweging, zelfs zonder gebruik van statief. De iso-snelheid wordt verhoogd en dit kan beeldruis tot gevolg hebben.

### Kinderen en huisdieren
Deze instelling is geschikt voor beweeglijke onderwerpen, zoals kinderen en huisdieren. De iso-snelheid wordt verhoogd en dit kan ruis in het beeld tot gevolg hebben. In deze stand is de afstand tot het onderwerp minimaal een meter.

### Binnenopnamen
Voorkomt camerabeweging en behoudt de goede kleuren bij het fotograferen met tl- of lamplicht. De iso-snelheid wordt verhoogd en dit kan voor beeldruis zorgen.

### Flora
Deze stand is heel geschikt voor het fotograferen van herfstbladeren of bloesems in levendige kleuren. De camera past dan de instellingen aan waardoor kleuren rijker worden (de foto wordt kleuriger).

*Sneeuw*
De optie om foto's te maken zonder blauw waas en zonder mensen donker te maken tegen een lichte sneeuwachtergrond.

*Strand*
U fotografeert zonder mensen donker te maken naast/in water of zand waar het gereflecteerde zonlicht sterk is. Met deze instelling wordt overbelichting voorkomen.

*Vuurwerk*
Voor het fotograferen van vuurwerk in de lucht: scherp met een optimale belichting. Lage sluitersnelheid.

*Onder water*
Deze optie gebruikt een optimale witbalans om de blauwe kleurzweem te verminderen en afbeeldingen met een natuurlijke kleur op te nemen. De belichting is erop ingesteld dat de flits zo min mogelijk gebruikt wordt. De iso-snelheid wordt verhoogd en dit kan voor beeldruis zorgen.

Het is natuurlijk niet mogelijk om alle camera's zomaar mee onder water te nemen. Vroeger was een speciaal omhulsel noodzakelijk, maar nu zijn er ook camera's die drie tot tien meter mogen 'duiken'.

*Portret*
De achtergrond vervaagt, waardoor de persoon op de voorgrond beter tot z'n recht komt. De scherptediepte-instelling bij deze stand is zeer klein.

*Landschappen*
Voor het fotograferen van ruimtelijke landschapsscènes. De scherptediepte-instelling is bij deze stand zeer groot om een optimale beeldscherpte van voorgrond tot achtergrond te bereiken.

*Panorama*
Geschikt voor het fotograferen van overlappende afbeeldingen die later samengevoegd kunnen worden op de computer (*stitched*) om een panorama-afbeelding te maken. Bij het maken van de eerste foto worden belichting en witbalans ingesteld en vastgezet.

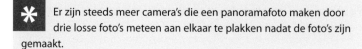
Er zijn steeds meer camera's die een panoramafoto maken door drie losse foto's meteen aan elkaar te plakken nadat de foto's zijn gemaakt.

## 3.5  Belichting

Het licht is een van de belangrijkste factoren in de fotografie (fotografie betekend letterlijk 'schrijven met licht'). Met behulp van de sluitertijd en de lensopening wordt bepaald hoeveel licht de camera binnenkomt. Het is zaak niet te veel en niet te weinig licht binnen te laten, maar de hoeveelheid hangt ook af van het beoogde effect.

De camera beschikt over een drietal eigenschappen die de hoeveelheid licht bepalen: sluiter, diafragma en iso-instelling. De sluiter
bepaalt hoelang er licht op de sensor valt. Het diafragma werkt als
het iris van een oog en laat meer of minder licht tegelijk naar binnen.
De iso-instelling bepaalt de gevoeligheid van de sensor. De meeste
(DSLR-)camera's beschikken over een drietal meetsystemen om de
lichtinstellingen te bepalen.

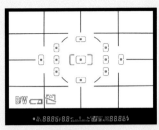

*Matrixmeting*

*Matrixmeting*
Deze instelling wordt door de meeste fabrikanten aanbevolen en is
derhalve in de fabriek al standaard ingesteld. De camera meet een
groot deel van het beeld en stelt de belichting in op basis van hel-
derheidsverdeling, kleur, afstand en compositie voor een natuurlijk
resultaat.

*Centrumgericht*

*Centrumgerichte meting*
De camera meet het hele beeld, maar kent het meeste gewicht toe
aan een gebied in het midden.

*Spotmeting*
De camera meet een punt met een kleine diameter (circa 2,5% van
het beeld). De cirkel is gecentreerd op het midden of het huidige
scherpstelpunt, zodat u de belichting van onderwerpen buiten het
midden kunt meten. Het onderwerp wordt correct belicht, ook als de
achtergrond veel lichter of donkerder is.

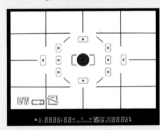

*Spotmeting*

## 3.5a *Belichtingscorrectie*
De camera zal proberen zijn belichting te meten door de wereld grijs
te maken en daar een gemiddeld grijs uit te halen. Dat wordt als
gemiddelde lichtsterkte aangehouden en vervolgens wordt de camera daarop ingesteld. Er zijn echter situaties waarin de gemiddelde
lichtsituatie afwijkt of waar de camera door een groot contrast tussen
licht en donker voor de verkeerde lichtzijde kiest. Dit laatste gebeurt
op het moment dat u expres uitgesproken donkere (portret bij weinig licht) of juist lichte beelden (strand- en sneeuwfoto's) probeert te
fotograferen. De bedoelde donkere foto wordt te licht en de lichte
foto wordt te donker. De hiervoor besproken scène-instellingen lossen dit probleem voor u op. Kan de camera dit niet automatisch of
is het resultaat alsnog te licht of te donker dan kunt u de belichting
handmatig aanpassen (het symbool +/-).

*Symbool voor belichtingscorrectie*

Met de belichtingscorrectie kunt u dus de door de camera geselecteerde belichtingswaarde wijzigen om foto's lichter of donkerder te
maken. Deze functie werkt het best in combinatie met de centrumgerichte meting of de spotmeting.
De belichtingscorrectie kan worden ingesteld in stapjes van 1/3,
meestal tussen -2 en +2. Een positieve waarde maakt het onderwerp lichter (langere belichting) en een negatieve waarde maakt
het onderwerp donkerder. Een heel punt naar boven of onder doet
wonderen, het resultaat kunt u op het lcd-scherm of in de zoeker
zien.

**Oefening**

Maak 's avonds of in een enigszins verduisterde kamer een (portret)-foto, met als enige lichtbron een lamp die van links- of rechtsboven een schaduw op het gezicht werpt. Laat de flits achterwege en corrigeer het ontbreken daarvan door belichtingscorrectie toe te passen. Gebruik eventueel een statief, want bij langere belichting zal het model (heel) stil moeten zitten. Maak een aantal opnamen om een goede belichting te vinden. De meeste camera's houden de aangepaste instelling van de belichtingscorrectie vast als ze worden uitgezet. De normale belichtingsinstelling kunt u terugkrijgen door de belichtingscorrectie op 0 te zetten.

**Oefening**

Zet de belichtingscorrectie op 0, en maak nu dezelfde foto met flits. Welke van de twee varianten heeft de beste uitstraling en sfeer?

*Symbool voor de flitscorrectie*

*Flitscorrectie*

Sommige digitale camera's bieden een soortgelijke functie voor de lichtcorrectie van de flitser. Deze functie is vooral handig om de flits wat te dimmen. Het bijbehorende symbool is gelijk, maar uitgebreid met een bliksemflitsje. De flitscorrectie is meestal iets minder uitgebreid dan de belichtingscorrectie.

*Bracketing*

Bracketing is het maken van een aantal opnamen met oplopende instellingen voor sluitertijd, lensopening en belichtings- of flitscorrectie. De mogelijkheden zijn afhankelijk van het model camera. Op sommige camera's wordt de afkorting BKT gebruikt, op andere camera's AEB (*Automatic Exposure Bracketing*). Bij bracketing maakt de camera stapsgewijs een aantal opnamen. Bij automatische belichtingscorrectie kunnen dat bijvoorbeeld drie foto's zijn met opeenvolgend -1, 0 en +1.

Het voordeel van bracketing is dat de camera automatisch een reeks foto's maakt en u achteraf kunt uitzoeken welke uit de reeks het best is. Deze functie is vooral handig als het eindresultaat onzeker is door donkere of lichte lichtomstandigheden.

*Belichtingscorrectie -2*

*Belichtingscorrectie -1*

*Belichtingscorrectie 0*

U kunt de belichtingscorrectie natuurlijk ook handmatig aanpassen, maar bracketing gaat een stuk sneller. Professionals gebruiken bracketing ook, om er zeker van te zijn dat ze de goede belichting treffen.

### 3.5b   Het gebruik van filters

Voor DSLR-camera's is er een ruim assortiment filters en filteradapters. Op de meeste compactcamera's kunnen deze niet zonder meer gebruikt worden, omdat de aansluiting op de lens ontbreekt. Maar er bestaan voorzetstukken waarmee filters toch gebruikt kunnen worden.

Met een beeldbewerkingsprogramma heeft u echter zoveel mogelijkheden voor het toepassen van filters en effecten dat opzetfilters nauwelijks meer nodig zijn. Een uitzondering is het polarisatiefilter, waarmee felle blauwe lucht zichtbaar blijft terwijl die anders echt verdwijnt. Een ander voordeel is dat u de originele foto in z'n meest natuurlijke staat behoudt; u kunt op een foto meerdere filters toepassen en elke toepassing als apart bestand opslaan.

### 3.5c   Statief en andere hulpmiddelen

Voordat u een statief gaat gebruiken, moet u weten dat een foto in hoge mate beïnvloed wordt door eventuele bewegingen van de camera. Veel beweging levert een onscherpe, soms zelfs onherken-

**✱ Beeldstabilisatie**
Veel camera's hebben een systeem voor optische of mechanische beeldstabilisatie. Bewegingen van de camera worden dan automatisch gecompenseerd, zodat u bij langere sluitertijden of zonder statief toch scherpe foto's kunt maken. Zie ook §1.3j.

bare foto op. Wie de camera goed stilhoudt, ziet dat terug in het resultaat: een heldere en scherpe foto. Als vuistregel geldt dat opnamen boven een sluitersnelheid van 1/125 zonder problemen uit de hand kunnen worden genomen. Snelle objecten en superzoomlenzen kunnen hierop een uitzondering zijn.

Sluitersnelheden van 1/30 tot 1/100 kunnen uit de hand worden genomen, maar vereisen een stabiele tot zeer stabiele hand. Door de langere belichtingstijd is er meer kans op bewogen foto's. De volgende techniek helpt u bij het beter maken van foto's onder dergelijke omstandigheden: goed inademen, half uitademen, adem vasthouden, afdrukknop rustig indrukken tot de camera de foto gemaakt heeft en daarna verder uitademen. Vooral als er weinig licht is en u nog niet wilt flitsen, komt dit handigheidje van pas.

*Camera bewogen tijdens opname*          *Camera goed stilgehouden*

Bij een sluitertijd onder de 1/30 is een statief bijna onmisbaar. Op foto's die sterk zijn ingezoomd, wordt het effect van iedere beweging versterkt. Zeker bij een zeer sterke zoomlens is beweging boven sluitersnelheden van 1/100 mogelijk. Veel nieuwe camera's en lenzen zijn dan ook uitgerust met beeldstabilisatie: speciale trillings- of bewegingsreductie om onscherpe afdrukken tegen te gaan.

Een statief kan ook nuttig zijn onder normale condities; bij weinig licht of een verhoogde kans op beweging is het zelfs vrijwel noodzakelijk.

Houd er rekening mee dat de potenset (het statief zelf) en de kop (bevestiging camera en instellen/richten) vaak apart verkocht worden. Zo kunt u de statief- en statiefkopcombinatie uitzoeken die het best bij uw wensen past. Statieven worden natuurlijk ook als geheel geleverd.

Er zijn ook heel handige statiefjes voor compactcamera's te koop – voor een grote tot zware camera zijn deze niet toereikend.

Heeft u geen statief dan kunnen autodak, een paaltje, een muurtje, een steen, een tafel, enzovoort uitkomst bieden. Zet de camera erop of gebruik het voorwerp als steun en u heeft een prima statief. U kunt ook een *beanbag* gebruiken; deze kunt u zelf maken door een stoffen zak te vullen met bijvoorbeeld gedroogde bonen, droge rijst of vogelzaad. De zak dempt eventuele trillingen, zorgt voor een stevige maar niet te harde ondergrond en nivelleert een schuine ondergrond.

### Draadontspanner

Om verdere onnodige beweging en trilling te voorkomen, kunt u een ontspannerkabel gebruiken. Een draadontspanner kan nuttig zijn om deze en andere bewegingen van de camera tegen te gaan bij opnamen die langere tijd vergen. Helaas beschikken veel digitale camera's niet over een aansluitmogelijkheid; zit er in de ontspanknop een gat met schroefdraad dan kunt u een standaard draadontspanner aansluiten.

Zonder schroefdraad is er mogelijk een elektronische ontspanner te koop, maar vraag dit na bij de leverancier of zoek het op in de handleiding van de camera. Is er op uw camera geen draadontspanner mogelijk, dan bestaan er adapters die op meerdere typen camera's te gebruiken zijn; deze zijn echter niet zo makkelijk verkrijgbaar. Beschikt een camera niet over een aansluiting voor een draadontspanner dan kunt u de zelfontspanner gebruiken.

### Afstandsbediening

Sommige digitale camera's hebben een afstandsbediening. Het voordeel hiervan is dat er nog minder kans op trilling bestaat. Mocht u de afstandsbediening voor uw camera te duur vinden, zoek dan via Google of kijk op eBay. Naast de originele, duurdere afstandsbedieningen zult u ook goedkopere afstandsbedieningen (van een ander merk) vinden die met uw camera kunnen werken.

### Lachdetectie

In de tweede helft van 2007 werden de eerste camera's aangekondigd met de *smile detection*-functie. Inmiddels zit dit op heel veel digitale camera's, vooral op compactcamera's. Lachdetectie is enigszins vergelijkbaar met een zelfontspanner die na een vastgestelde tijd een foto maakt. In theorie zoekt een camera waarbij de lachdetectie is ingeschakeld naar de specifieke structuur van een gezicht, dus naar ogen, neus en mond. Als de gezichtsstructuur herkend is, wacht de camera tot hij de lijn van de mond ziet buigen. Als de mond opkrult, concludeert de camera dat je lacht. Bij sommige camera's moet daarvoor ook een deel van het gebit te zien zijn. Helaas vertellen de fabrikanten niet precies onder welke voorwaarden de camera overgaat tot het maken van een foto, zo bleek uit onze laatste cameratest (voorjaar 2009). De ene keer zit er 2 tot 3

*Manfrotto-statief en -kop*

seconden tussen het lachen en het maken van de foto, een andere keer is er na 10 seconden nog geen foto gemaakt. Soms moet je wat duidelijker lachen of zelfs je hoofd iets bewegen om de camera te activeren. Geen enkele digitale camera met lachdetectie reageert elke keer in een min of meer gelijke situatie op dezelfde manier. Conclusie: lachdetectie kan werken, maar je moet er niet op rekenen dat het snel gaat. Zo betrouwbaar als de zelfontspanner is deze functie bij lange na nog niet.

*Zelfontspanner*
Vrijwel iedere camera beschikt over een zelfontspanner, die de opname een aantal (in te stellen) seconden uitstelt. Zorg altijd eerst voor een stevige ondergrond, stel dan de camera in en vervolgens de zelfontspanner. De meeste camera's geven een licht- of geluids-signaal, zodat u het aftellen kunt volgen en weet op welk moment de camera afdrukt.

*Een groepsfoto genomen met zelfontspanner*

# Ervaring opdoen

## 4

Er zijn heel veel onderwerpen om te fotograferen en dus ook verschillende manieren om dit te doen. U zult er in beginsel niet over
nadenken, maar voor ieder onderwerp is een andere techniek vereist.
Zo zult u bij het maken van portretten meestal een staande camerastand gebruiken en bij het fotograferen van landschappen een
liggende stand, om maar een heel eenvoudig verschil te noemen.
Zo zijn er veel meer dingen waar u op kunt letten, afhankelijk van
het onderwerp dat u kiest.

## 4.1   Oefenen

Veel oefenen is heel belangrijk, en dat wordt leuker als u uzelf
opdrachten geeft. Neem een paar weken de tijd om alleen foto's te
maken die te maken hebben met contrast (het verschil tussen licht
en donker), om alleen foto's te maken van landschappen of richt u
een tijdlang op het fotograferen van patronen.
Bijvoorbeeld: stel uzelf ten doel het landschap te zien als een tekening. U kunt in het landschap bijvoorbeeld heel gericht gaan zoeken
naar lijnen: rechte, schuine, kromme, enzovoort. Een bouwput kan
dan ineens een heel interessant object worden om te fotograferen.
Of zoek in de dingen om u heen naar vormen.

*Een foto met diverse vormen: driehoek, rechthoek, trapezium en cirkel*

Neem aan het eind van zo'n periode de tijd om uw foto's kritisch te
bekijken. Doe dit bij voorkeur met iemand anders, zodat u erover van
gedachten kunt wisselen. Als u dit een tijdje volhoudt zal het effect
niet uitblijven: u gaat betere foto's maken en het wordt nog leuker
om te doen.

## 4.2 Een foto met een verhaal

In de persfotografie wordt veel gebruikgemaakt van suggestieve fotografie: u ziet een beeld waar een wereld achter schuilgaat. Die suggestie wordt gewekt door details in de foto. De allerbeste foto's (denk aan de World Press Photo) weten deze suggestie te wekken door een subtiel samenspel van elementen (onderwerp, licht, compositie, voorgrond/achtergrond, enzovoort).

Uw foto's kunnen ook een dergelijk verhaal vertellen. Zorg er daarbij voor dat foto's spannend zijn, dat maakt het beeld interessant. Een verhaal kunt u zoeken, maar het zal u meestal overvallen. Kijk goed om u heen en houd de camera in de aanslag om het bijzondere moment vast te leggen.

*Wat houdt het handje onder het deksel verborgen?*

## 4.3 Licht

Licht is het belangrijkste onderdeel als u begint met fotograferen. Er zijn zoveel verschillende soorten licht. De sterkte van het licht en de manier waarop het wordt verspreid, bepalen het effect ervan in uw foto. Schijnt de zon dan zullen uw foto's contrastrijk zijn – het verschil tussen licht en donker is groot.

*Opname met zonlicht*  *Opname op een bewolkte dag*  *Nachtopname met flits*  *Nachtopname met statief zonder flits*

Is er weinig zon dan zullen uw foto's ook minder contrast bevatten, het verschil tussen licht en donker is dan niet zo groot. De laatste van de voorgaande foto's is een nachtopname zonder flits. Dit soort foto's kan in een beeldbewerkingsprogramma nog heel goed verbeterd worden.

Een goede lichtbron zorgt voor een betere kleur en meer diepte in de foto. De meest gebruikte lichtbron is uiteraard de zon. Zonlicht zorgt voor een goede kleurverdeling, maar heeft ook negatieve invloeden. Bij scherp zonlicht knijpen mensen bijvoorbeeld de ogen toe, dus zorg ervoor dat ze niet recht in de zon kijken. Let er tege- lijkertijd op dat uw eigen schaduw niet in het beeld komt! Scherp zonlicht zorgt ook voor verharding van de schaduwen. Licht van opzij in plaats van recht van boven maakt (portret)foto's zachter en sprekender.

*Foto van een interieur met strijklicht*

Bij wat somberder weer met een beetje bewolking levert het foto- graferen van gezichten vaak betere resultaten op; het licht en de schaduw zijn zachter en de verdeling tussen licht en donker is gelijk- matiger, wat voor mooie portretfoto's en close-ups zorgt. Het getem- perde licht bij zonsopgang en het avondlicht – de gouden uurtjes – kunnen sfeervolle foto's opleveren. Niet alleen het moment van de dag, maar ook de hoek waaronder het licht op een onderwerp valt bepaalt de sfeer.

Wilt u verschillende foto's later tot één compositie maken, bijvoor- beeld om het een groepsfoto te laten lijken, dan moet u ervoor zorgen dat het licht op alle foto's uit dezelfde richting komt, zodat ze goed bij elkaar passen. Komt het licht uit de verkeerde richting, gebruik dan het beeldbewerkingsprogramma om het beeld te spie- gelen; ook al is het niet helemaal juist, het zal de meeste mensen niet opvallen. Pas wel op met eventuele (kleding)teksten, want die zien er gespiegeld gek uit.

### 4.3a  *Natuurlijk licht*

Natuurlijk licht is het mooiste licht dat er is; maak er gebruik van als dat mogelijk is. Als er weinig licht is, wordt de belichtingstijd langer. Daardoor is het eerder nodig een statief of een andere ondersteuning te gebruiken.

*Deze foto hebben we gemaakt in een boerderij terwijl de zon scheen, het overgangsgebied tussen het harde buitenlicht en het duister levert een bijzonder lichtspel op. Als statief hebben we een steen in de boerderij gebruikt*

Zoek naar een mooie lichtbron. Frontaal licht is vrij saai, de foto wordt er niet echt mooi van. Kies voor indirect licht. Goede voorbeelden daarvan zijn licht dat via een zijraam binnenvalt of zonlicht dat van opzij komt.

*Indirect licht dat van buiten naar binnen valt*

Regen is leuk. Tijdens een bui kunt u verrassende foto's maken. En net erna lijkt alles vaak veel kleurrijker. Ook de achtergebleven druppels op bloemen en planten geven een mooi effect. Denk maar aan een spinnenweb met ochtenddauw.

*Een tegenlichtopname*

Zoals gezegd kunt u bij de betere camera's kiezen tussen voorgeprogrammeerde belichting en instelling met de hand. Bij gelijke lichtomstandigheden kunt u kiezen tussen een klein diafragma met een lange sluitertijd en een groot diafragma met een korte sluitertijd. Een lange sluitertijd vergroot de kans op onscherpe foto's, zeker bij opnamen van bewegende onderwerpen. Die vragen juist om een korte sluitertijd.

Het nadeel van een groot diafragma is dat de scherptediepte kleiner wordt: alleen onderwerpen waarop u de lens heeft scherpgesteld komen scherp op de foto, het beeld dichterbij en verderaf wordt minder scherp. Het kan overigens heel verrassend zijn om op de voorgrond een mens, bloem of boom scherp in beeld te hebben tegen een wat vagere achtergrond.

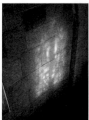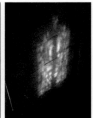

*De prachtige kleuren van het kerkraam gaven met het laagstaande voorjaars-licht een mooie weerschijn op de kerkvloer. We hebben verschillende camera-instellingen gebruikt, zoals automatisch (de eerste), strand, binnenfoto en inge-stelde sluitertijd. Uiteraard hebben we hier een statief gebruikt*

Probeer eens te fotograferen bij zonsopgang en bij avondlicht. Het licht is dan vaak erg mooi, bovendien kan een zonsondergang heel sfeervol zijn. Door de langere belichtingstijden zult u wel uw camera moeten ondersteunen. Wanneer u mensen wilt fotograferen op zon-nige dagen in de zomer wacht dan tot zonsondergang, dat geeft een prachtige zachte reflectie op de huid.

*Een portretfoto genomen met gefilterd zonlicht*

### 4.3b  *Nacht*

Niets is zo mooi en spannend als het fotograferen van vuurwerk of kunstlicht in de nacht. U hoeft niet te kritisch te zijn op het eindre-sultaat en als er foto's gelukt zijn, geven ze vaak heel goed de sfeer van het moment weer. Op veel camera's hoeft u slechts de instelling 'Vuurwerk' te kiezen en de instelling is goed. Heeft u deze optie niet, kies dan een lange sluitertijd zodat er veel licht binnenkomt. Het mooiste effect krijgt u wederom met een statief, maar als u toch uit de hand fotografeert, probeer de camera dan zo stil mogelijk te houden.

### 4.3c  *Flits*

In de automatische stand zal uw camera flitsen wanneer dit (volgens de camera) nodig is. Maar wij willen u adviseren alleen te flitsen als het niet anders kan. Het voordeel van flits is dat alle objecten in de foto belicht worden en daardoor goed zichtbaar zijn. En dat is dan ook meteen het nadeel. Doordat alle objecten goed uit de verf komen, wordt de foto meestal erg vlak en minder interessant om naar te kijken.

*Camerasymbolen: geen flits, (geforceerde) flits, automatische flits en reduceren van rode ogen*

Wanneer u een foto wilt maken, bedenk dan eerst wat u boeit en probeer dat beeld zo goed mogelijk te benaderen met de beschikbare middelen. Bekijk de onderstaande foto's eens. Wat ons boeide was het geheimzinnige licht dat onder de deur door viel. In de eerste foto ziet u dat het gebruik van de flitser alle spanning uit de foto heeft gehaald. Het is een gewone foto geworden die niets te vertellen heeft. De tweede foto is geworden zoals we bedoeld hadden. Wanneer u twijfelt over het gebruik van flits, maak dan twee foto's: een mét en een zonder.

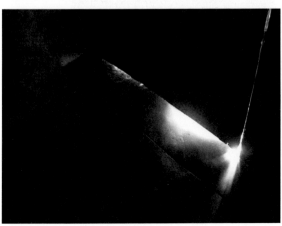

**✳** In welke situaties moet u flitsen en wanneer niet? Houd in principe de volgende stelregel aan: flits alleen wanneer het echt niet anders kan!

- Bij weinig licht kunt u eerst nog de gevoeligheid opschroeven (naar ɪso 400 of 800).
- Als de belichtingstijd toch te lang wordt en bewegingsonscherpte op de loer ligt, zoom dan helemaal uit naar de groothoekstand (want dan is een grotere lensopening mogelijk). Zoek steun tegen een paal of muur en houd uw adem in.

*Fotograferen bij avondlicht*

Wanneer u bij avondlicht fotografeert, ontkomt u niet aan de flitser. Maar komt u met de flitser te dichtbij, dan wordt het gezicht bleek en blijft de achtergrond donker. Neemt u te veel afstand, dan zal de flits het doel niet bereiken en blijft het onderwerp onderbelicht. Zorg dus dat het onderwerp binnen het bereik van de flits valt, meestal is dat twee tot vijf meter. In de handleiding van de camera staat het exacte bereik. Bij het flitsen voorbij deze grens is het raadzaam een externe (professionele) flitser te gebruiken (mits uw camera deze mogelijkheid biedt).

*Deze foto heeft ondanks de flits z'n karakter behouden*

Controleer of u de flitser harder of zachter kunt zetten – net als bij de belichtingscorrectie is het op sommige camera's mogelijk de sterkte van de flits iets bij te stellen. Over het algemeen is er de meeste marge om de flitser zachter af te stellen.

Bent u benieuwd hoever uw flits reikt? Maak 's nachts een foto van uw tuin, een parkeerplaats, grasveld of voetbalveld. Belangrijk is het ontbreken van terreinverlichting.

De flits van een gemiddelde compactcamera is werkzaam van twee tot vijf meter. Tot twee meter is het licht te sterk en zal het onderwerp uitgebleekt raken, na vijf meter is het licht onvoldoende.

*Invulflits*

Bij het fotograferen van mensen voor een venster of tegen een felverlichte achtergrond heeft de camera de neiging zich in te stellen op de achtergrond, waardoor gezichten onderbelicht raken. Gebruik ook hier de flitser voor een betere balans tussen de voor- en achtergrond. We noemen dit 'invulflits': vanwege het (beperkte) bereik van de flits zullen vooral de personen (en objecten) op de voorgrond extra belicht worden.

Ook als u buiten fotografeert en genoeg licht denkt te hebben, kan een flits zorgen voor een speciaal effect: de schaduwen worden verzacht en de kleuren van het onderwerp worden benadrukt en daardoor levendiger.

Als u foto's maakt op een zonnige dag en uw onderwerp bevindt zich in de schaduw, gebruik dan de flitser als invulflits om uw onderwerp beter te belichten. Hierdoor wordt het onderwerp, dat normaal in de donkere schaduw zou verdwijnen, toch uitgelicht.

*Links zonder, rechts met invulflits*

Invulflits kan ook gebruikt worden om een harde schaduw door de zon of ander licht te verzachten. Voor het verzachten van schaduwpartijen gebruiken fotografen ook wel reflectieschermen; zo ontstaat een gelijkmatiger resultaat omdat 'hetzelfde' licht wordt gebruikt. Dezelfde lichtbron levert immers gelijke lichtresultaten. Maar als u lamp-, tl-, flits- en zonlicht vergelijkt of gelijktijdig gebruikt, zijn er duidelijke kleurverschillen.

*Reflectie*
Fotografeert u vensters, glas en andere spiegelende vlakken recht van voren, dan reflecteren ze het flitslicht. Verplaats het onderwerp of de camera en fotografeer onder een schuine hoek ten opzichte van het glas om reflecties (flitssterren) te voorkomen.

*Rode ogen*
Het rode-ogeneffect ontstaat door de reflectie op de achterkant van de oogbol, waar zich veel bloed bevindt. Het gereflecteerde licht is daardoor (bloed)rood van kleur. Alle nieuwe digitale camera's hebben een functie tegen rode ogen: vlak voor de echte flits geeft de camera een serie korte, zwakkere flitsen of een felle lichtstraal. De pupil zal hierop reageren met samentrekkingen, zodat de rode ogen nauwelijks meer zichtbaar zijn.

Het duurt ongeveer 0,8 seconde voor de pupil op het flitslicht reageert en zich meer sluit. Er zit dan ook 0,5 tot 0,8 seconde tussen de
voorflits en de eerste flits. Pas dus op, want er is een vertraging van
0,8 seconde na het afdrukken. Vooral bij het fotograferen van kinderen is dat vaak hinderlijk veel.
Overigens is het rode-ogeneffect naderhand nog makkelijk te corrigeren. Beeldbewerkingssoftware heeft hiervoor een speciale functie.

## 4.4   Compositie

De compositie is de wijze waarop objecten in het rechthoekige
beeldkader zijn gerangschikt. De compositie kan een foto maken en
breken. U kunt een prachtig landschap fotograferen maar wanneer
de verhouding onevenwichtig is, valt uw foto in het water. Het ver-
krijgen van een goede compositie is wellicht een van de moeilijkste
onderdelen van het fotograferen.
De display van uw camera kan u helpen de juiste compositie te
bepalen. De werking ervan is ongeveer gelijk aan het rechthoekige
kader dat veel schilders gebruiken om te kunnen bepalen welk deel
van het beeld geschilderd wordt. Echter, onze ervaring leert dat pas
op een groot beeldscherm de juiste verhoudingen tussen de objecten gevonden en beoordeeld kunnen worden. Als u voldoende ruimte om uw compositie heeft gehouden, kunt u later op de computer
de beste uitsnede maken.

Uitgaand van algemeen gebruik geven we een paar tips voor de compositie. Vraagt iemand u een bepaald onderwerp te fotograferen (een boom, een mens, een zeegezicht), dan zult u het onderwerp waarschijnlijk in het midden van de foto plaatsen. Dit is niet gek, de meeste mensen zullen dit doen. De reden is wellicht dat u gevoels- matig denkt dat een evenwichtig beeld ontstaat door het aandachts- punt centraal te plaatsen, maar het merkwaardige is nu juist dat dit niet het geval is. Een beeld is interessant wanneer het in evenwicht is, maar het evenwicht wordt bepaald door een heleboel factoren. Spanning ontstaat doordat het beeld niet voorspelbaar is, maar juist vol verrassingen.

*Bij het bepalen van composities helpt het uw beeld te zien als een weegschaal: helt het beeld te veel naar rechts (zoals het bomenpaar in dit geval doet) dan moet er een element zijn dat het gewicht de andere kant op trekt (de helling). De horizontale richting van de bergen brengt het geheel in evenwicht*

De interessantste compositie ontstaat meestal wanneer het aan- dachtspunt op (ongeveer) een derde van de foto staat. Dit principe wordt al eeuwen door kunstenaars toegepast en we noemen het de gulden snede. Hierbij wordt de foto horizontaal en verticaal in drie vlakken verdeeld. Door de onderwerpen op de kruisingen van de lijnen te plaatsen, wordt een interessant of spannend beeld gecreëerd. De mens wordt van nature geboeid door onverwachte posities en standpunten. Een centraal standpunt is daarom meestal het minst interessant. Althans, wanneer het gaat om een landschap. Fotografeert u echter objecten in een landschap en moet de aan- dacht daar naartoe getrokken worden dan zullen deze centraal in beeld vaak het best uitkomen.

*Dit is een prachtige foto, maar de compositie is niet helemaal goed. De fontein staat net niet in het midden en dat geeft een onevenwichtig beeld. Gelukkig kan dit makkelijk opgelost worden met een beeldbewerkingsprogramma (rechts)*

Als u zich hiervan bewust bent, kunt u heel gericht zoeken naar een interessante compositie, maar we moeten erbij zeggen dat omgevingsfactoren het heel moeilijk kunnen maken de juiste verhoudingen te vinden. U kunt wel een prachtige boom willen fotograferen, maar als er een auto of een lantarenpaal in de weg staat, kan dit behoorlijk storend werken.

*Het paaltje en de horizon op ongeveer een derde maken het beeld evenwichtig*

 Zorg ervoor dat de horizon ook echt recht is. Veel mensen houden de camera ongemerkt een tikje scheef.

Hoe dan ook: neem uw onderwerp duidelijk zichtbaar in beeld (dus niet te ver weg en niet te dichtbij) op een derde van links of rechts. Maakt u foto's met een horizon, plaats die dan nooit precies in het midden maar op een derde van boven of onder. Als u dit consequent doet, zullen de foto's ineens veel mooier worden.
In een compositie kan het toevoegen of weghalen van een detail het evenwicht verstoren. Het is leuk om te oefenen met de compositie. Bespreek bijvoorbeeld eens met een ander wat nu precies interessant is aan verschillende foto's. Probeer de compositie op de foto's

te ontleden. Op die manier wordt u zich bewust van de opbouw en zal het maken van mooie foto's meer en meer vanzelf gaan. Want vergeet niet, de beste foto's worden vooral genomen zonder uitgebreide analyse vooraf.

## 4.5    Perspectief

Als u een rij bomen fotografeert, zal de eerste boom groter lijken dan de laatste, terwijl ze in werkelijkheid ongeveer even groot zijn. Dit wordt veroorzaakt door het perspectief. In de foto lopen denkbeeldige lijnen allemaal naar een bepaald punt toe.
We hebben perspectief nodig om afstand te kunnen schatten. Als we geen perspectief zouden zien, waren alle voorwerpen even groot, konden we niet bepalen waar we ons zouden bevinden en raakten we totaal gedesoriënteerd. Perspectief is ingewikkeld, en u kunt alleen leren hoe het werkt door veel en bewust rond te kijken. Dieptewerking ontstaat niet alleen door de richting van denkbeeldige lijnen, maar ook door contrast. Probeer vooral bij landschapsfoto's en vergezichten een stukje uit de voorgrond (tak, bloem, dier, mens of hek) in de foto op te nemen. Een donker voorwerp in de voorgrond versterkt het gevoel van diepte.
Diepte verkrijgt u ook door met lichte en donkere partijen (doorkijkjes, zie §4.5a) te werken. Of door een lijnenspel van bijvoorbeeld een weggetje of riviertje.

*De bril nadrukkelijk op de voorgrond, de naar achteren lopende pootjes en de vage schaal in de achtergrond versterken het gevoel van diepte*

Zoek naar elementen die het perspectief versterken. Dat is het geval in de volgende foto. Zonder de klimplant op de voorgrond zou deze foto geen enkele betekenis hebben. De plant wordt in evenwicht gehouden door de groene bomen en het kleine stukje blauw van de lucht op de achtergrond.

Hetzelfde is het geval op de foto met de paaltjes: die verdwijnen in de verte en de donkere boom op de voorgrond versterkt het ruimtelijk effect. Bovendien is de foto spannend doordat de boom naar links helt; het is alsof er van twee kanten aan de paaltjes wordt getrokken. Ook de kleuren beïnvloeden hier het gevoel van ruimte: op de voorgrond warme kleuren (bruin, groen, geel) en op de achtergrond koele kleuren (blauw, wit); de voorgrond is scherp, de achtergrond iets onscherp.

In de foto met de huizen wordt op een slimme manier gebruikgemaakt van de beschikbare objecten om het gevoel van ruimte te versterken. Volg de lijnen van het huis op de voorgrond en bekijk dan de richting waarin het weggetje draait, precies de andere kant op. Het kromme weggetje zorgt ervoor dat u als het ware het beeld in gezogen wordt.

Foto's van een strand aan de Middellandse Zee zijn leuk en je wordt er vrolijk van, maar meer doen ze over het algemeen ook niet. De strakke mediterrane zee is niet erg spannend om te fotograferen, mede door het gebrek aan duinen. Hier worden andere objecten in het beeld bepalend voor het ruimtegevoel, zoals mensen, een parasol of een laag camerastandpunt.

### 4.5a  Doorkijkjes

Het beste resultaat krijgt u vaak met doorkijkjes: zoek een voorwerp op de voorgrond of plaats er een om diepte te creëren. U kunt ook foto's maken waarbij een deel van een interieur zichtbaar is en op de achtergrond een landschap. Wanneer u hierop gaat letten, zult u zien dat u ineens heel mooie foto's gaat maken.

Het nadeel van doorkijkjes kan zijn dat u in een donkere ruimte staat en naar buiten fotografeert waar het heel licht is. Een camera die qua belichting afgesteld is op een punt (spot) of op het centrum zal dan het midden (waarschijnlijk ook het lichtste deel) van het beeld als referentie voor de hele foto gebruiken. Het gevolg is dat het omringende niet voldoende belicht wordt. Tegenmaatregelen kunnen zijn: matrix- of 3d-belichting (vrijwel het gehele oppervlak wordt nu gebruikt voor de belichtingsmeting en -instelling) en/of (zachte) flits om de nabije donkere partijen op te lichten.

*Het donkere interieur en het licht buiten geven een ruimtelijk gevoel. Ook met het standpunt hebben we gegoocheld door de camera vanaf een hoogte van ongeveer 2 meter naar beneden te richten*

*Een belangrijke rol is in deze foto weggelegd voor het paaltje en het prikkeldraad, die een tegenwicht vormen tegen de gekantelde U-vorm van de boom op de voorgrond en de schaduw daaronder. Zonder deze objecten zou de foto een stuk saaier zijn*

## 4.6 Afstand

Grofweg zijn er drie afstanden: veraf, midden en dichtbij. Naarmate u verder uitzoomt, komt er meer van de achtergrond in beeld. Als u verder inzoomt, zal juist minder achtergrond zichtbaar zijn en wordt het beeld meer gefocust op het onderwerp. Het is zaak de juiste verhouding te vinden en dat is vaak erg moeilijk. Experimenteer en oefen veel en maak gerust foto's van hetzelfde onderwerp van verschillende afstanden, zodat u kunt beoordelen wat de beste keuze is. Gebruik de zoomfunctie of verander uw eigen afstand tot het onderwerp.

De slechtst denkbare compositie is natuurlijk de foto waarbij bepaalde delen van het onderwerp onbedoeld wegvallen. Als u er niet zeker van bent of het hele onderwerp in beeld past, doe een stapje terug en maak dan pas de foto. Of ga op een knie zitten, want door een wijziging van de ooghoek en het perspectief wordt het maken van een foto makkelijker. Op het lcd-scherm van de camera ziet u precies wat er op de foto komt, maar de doorzichtzoeker geeft vaak een afwijking. Als vuistregel kunt u aanhouden: te weinig is altijd fout, te veel kan achteraf vaak nog gecorrigeerd worden met het beeldbewerkingsprogramma.

*Bij dit huis heeft de fotograaf een plek gevonden van waaraf het hele huis gefotografeerd kon worden*

Neem bij groepsportretten altijd de hele figuren in beeld! De volgende foto is leuk, maar je blijft het gevoel houden dat er iets niet klopt. De fotograaf had twee stappen achteruit moeten doen of het gezin een paar stappen naar achteren moeten dirigeren.

*Een bekende fout: de voeten ontbreken, niet voldoende uitgezoomd of niet voldoende afstand genomen*

Wilt u de aandacht vestigen op iemands figuur, neem dan (zo veel mogelijk) het hele lichaam in beeld en niet alleen gezicht, schouders en bovenlijf. Het probleem is dan misschien dat de aandacht wordt afgeleid door elementen in de omgeving of de achtergrond, maar deze kunt u met een beeldbewerkingsprogramma wegwerken – het grote voordeel van digitale beelden.

### 4.6a  *Macrostand*

Een prachtige functie op digitale camera's is de macrostand – en compactcamera's zijn daar over het algemeen erg goed in. Wanneer u deze functie inschakelt, kunt u kleine objecten (bloemen, insecten, en dergelijke) van zeer dichtbij scherp fotograferen. Een beeldvullende foto van een kleurrijke vlinder is natuurlijk heel mooi.

*Een tor*

In de macrostand wordt scherpgesteld op het object; de voor- en achtergrond worden wazig. Een opvallende eigenschap van de macrostand is de zeer kleine scherptediepte-instelling. Dat alles op de voorgrond of in de achtergrond onscherp is, geeft een prachtig effect want het object wordt heel scherp uitgelicht.

Macrofotografie gebeurt (meestal) op zeer korte afstand om zo het onderwerp zo groot mogelijk in beeld te krijgen. Macrofotografie gebeurt bij DSLR vaak in combinatie met een speciale lens voor close-ups. Met een echte macrolens is het zelfs mogelijk de facetten van het oog van een vlieg scherp te zien. De macrostand op uw camera heeft dit vermogen uiteraard niet.

U kunt een macro-effect ook achteraf creëren met de meeste beeldbewerkingsprogramma's. Deze bevatten een filter waarmee u bepaalde gebieden kunt vervagen. Het is dan ook mogelijk een eigen scherptediepte-effect aan een foto mee te geven: u selecteert de omgeving van het object en vervaagt deze. Maar pas op: het wordt nooit zo mooi als een foto die in de macrostand is genomen.

*Slaapmutsje*

## 4.7 Standpunt

Het is vrij gebruikelijk dat foto's recht vooruit worden gemaakt, maar dat is lang niet altijd de beste keuze. Loop om het onderwerp heen, verplaats het eventueel en bepaal de beste hoek. Kies de beste compositie door te letten op zowel hoek, achtergrond, voorwerp als voorgrond. Het fotograferen van volwassenen geeft niet het beste resultaat als u rechtop staat; wie even door de knieën zakt (of de camera lager houdt), zorgt ervoor dat de afstand van de lens naar de voeten en het hoofd ongeveer gelijk is; het eindresultaat wordt er beter door. Wanneer u mensen fotografeert, kan het veranderen van uw standpunt soms een verrassend effect geven.

Een leuke manier om te oefenen met wisselende standpunten is het fotograferen van een stilleven. U kunt de voorwerpen dan net zo lang verschuiven tot ze goed in beeld passen. Bij stillevens kunt u vooraf bepalen hoe de objecten geplaatst moeten worden. We zijn hier op een stoel gaan staan om de foto te nemen.

De foto van de winkelstraat is genomen vanaf ongeveer 2,5 meter hoogte. Er stond niet toevallig een trapje, maar het geluk wilde dat de fotograaf zelf al twee meter lang is. Hij heeft de camera boven het hoofd gehouden en vanaf die hoogte de foto geschoten. Door het lcd-scherm naar beneden te draaien, was het zelfs op die hoogte mogelijk vooraf de compositie te controleren.

Een laag standpunt kan ook een verrassend effect geven, zeker als u het wat overdrijft.

*Een laag standpunt bij het fotograferen van een bloementuin*

## 4.8    Fotograferen in de natuur

Foto's maken kan iedereen, maar voor écht goede natuurfoto's moet u iets meer moeite doen. Wees bewust van het landschap: zijn er mooie wolkenpartijen, zorgt de zon voor fraaie schaduwen of zijn er misschien bijzondere weerspiegelingen in het water? Hier volgen wat tips om mooie foto's van landschappen te maken. Diverse zullen u al bekend voorkomen.

*Let op de compositie*
Bij het maken van landschapsfoto's moet u zich vooral richten op het gehele beeld en niet op een detail. Bekijk tijdens het fotograferen het hele lcd-scherm en let niet alleen op een bepaald onderdeel. Maak later een mooie uitsnede, zeker als het somber weer is. Misschien ziet u fraaie contouren of een voorgrond waar kleur in zit.

*Speel met de horizon*
Plaats de horizon niet in het midden van de foto, een andere positie maakt het beeld interessanter. U kunt de horizon zelfs buiten beeld houden. Let er altijd op dat de horizon goed horizontaal is! Het is later wel te corrigeren, maar voorkomen is handiger.

*Creëer diepte*
Plaats een object op de voorgrond, bijvoorbeeld een boom, bloem, dier of misschien een rotspartij. Diepte krijgt u ook met lichte en donkere partijen (doorkijkjes) of een lijnenspel van bijvoorbeeld een riviertje of een weggetje. Houd wel de totale scherptediepte in de gaten: zorg voor voldoende scherptediepte en houd de details scherp.

*Maak het speels*
Voeg beweging toe: stromend water, wandelende mensen of dieren.
Ze moeten wel in het totaalbeeld passen, of anders juist extreem
contrasteren met het eigenlijke onderwerp.

*Varieer het standpunt*
Ga eens op de grond liggen of kijk of u ergens op kunt klimmen. En
maak voor de afwisseling een paar staande beelden. Uw standpunt
heeft invloed op de verdwijnpunten in uw compositie. Hiermee beïnvloedt u het beeld van de gefotografeerde objecten en gaan andere
beeldlijnen een rol spelen.

*Gebruik zoom*

Door de weidsheid van een landschap bent u snel geneigd de groot-hoekstand te gebruiken, want dan komt er zo veel mogelijk op de foto. Toch levert juist ook de telestand fraaie foto's op. U kunt dan bijvoorbeeld op een mooi gedeelte of een detail inzoomen, iets wat van dichtbij misschien niet mogelijk zou zijn.

*Zoek goed licht*

Het licht bij zonsopgang of -ondergang is vaak erg mooi. Een zons-ondergang kan heel sfeervol zijn, bovendien krijgen objecten of personen die u fotografeert een prachtige, warme kleur. Door de langere belichtingstijden moet u wel uw camera ondersteunen of gebruikmaken van een statief. Foto's maken bij fel zonlicht moet u als het even kan vermijden, want dit veroorzaakt harde, donkere schaduwen. Prachtige foto's kunt u ook maken in zware mist of bij de rook van een vuurtje.

Regen en bewolkte hemels leveren erg sfeervolle beelden op; het licht is dan vaak diffuus en de kleuren komen beter tot hun recht. Het spel van schaduw en licht kan bijzondere resultaten geven.

Fel licht op het midden van de dag kan alle sfeer uit een opname halen en zelfs van de leukste scène een slap plaatje maken. Sterk licht kan daarentegen best gebruikt worden om scherpe contrasten te creëren. Het wordt echter moeilijk om zowel de details in de hooglichten als in de schaduwgebieden te behouden – mogelijk moet u een keuze maken.

### Maak een close-up (macrostand)

Kijk eens of u een detail uit het landschap kunt fotograferen, in plaats van een vergezicht. Gebruik de macrostand op de camera om details uit te vergroten (bloemblaadjes, insecten, regendruppels), het levert prachtige beelden op. Bovendien is het zoeken naar dit soort details vaak erg leuk, zeker als u met kinderen op pad bent.

### Panoramafoto's

Met uw software, bijvoorbeeld Photoshop Elements, kunt u foto's aan elkaar plakken om er een panoramafoto van te maken. Deze truc wordt vaak toegepast bij landschappen, maar u kunt het ook met andere onderwerpen doen, zoals (verticaal) bij gebouwen. Hoe vaak gebeurt het niet dat een gebouw net niet in het beeld past? Als u geluk heeft kunt u een plaats vinden van waaruit u het hele gebouw kunt fotograferen, maar vaker moet u een plaats kiezen van waaraf u delen van het gebouw fotografeert, die u later aan elkaar plakt. Ook zijn er steeds meer camera's die zelf drie na elkaar gemaakte foto's automatisch kunnen samenvoegen.

*Panorama Toulouse, park en museum (rode gebouw). Uitgeknipt 8000x21000 pixels, goed voor een afdruk van 2 meter (hoog) bij 5,5 meter op een resolutie van 100 DPI*

## 4.9 Mensen en dieren fotograferen

Het maken van portretfoto's is een moeilijk onderdeel. U kunt alles weten over uw camera en over de *do's and dont's*, maar toch kan het gebeuren dat u er maar niet in slaagt een goede portretfoto te maken. U kunt de theorie van het fotograferen leren, maar u leert pas echt fotograferen door het veel te doen en door kritisch naar het eindresultaat te kijken.

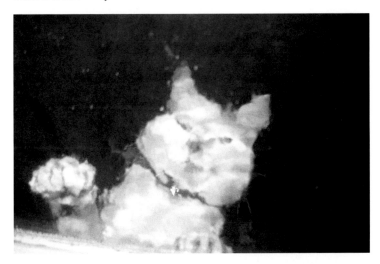

Het probleem met mensen en dieren is dat ze beweeglijk zijn, maar er is nog iets anders aan de hand. De mooiste foto's zijn niet de geposeerde foto's, maar foto's met een natuurlijke uitstraling. Het probleem is alleen dat mensen snel in de gaten hebben dat ze gefotografeerd worden en wat er dan gebeurt, weet u zelf waarschijnlijk uit ervaring: het resultaat is meestal een onnatuurlijke pose, mensen gaan gek doen of krijgen een verkrampte uitstraling.

*Bij het maken van deze foto's hebben we twee trucjes toegepast: 1) we hebben sterk ingezoomd op de gezichten en 2) we hebben de foto van bovenaf genomen. Omdat we geen aandacht hebben getrokken door de camera recht voor de gezichten te plaatsen, ogen de foto's heel spontaan*

### 4.9a *Portret*
Een portret is eigenlijk heel makkelijk te realiseren: hoe minder ingewikkeld, hoe beter. Zet stap 1-4.

**1 Neem de foto bij daglicht, maar zorg dat het geen hard zonlicht is.**

**2 Zoek een rustige achtergrond met een neutrale kleur.**
**3 Het mooiste is de foto als het licht iets van opzij komt, de schaduwwerking wordt dan versterkt. Gebruik geen flits.**
**4 Gebruik een statief of probeer zo stil mogelijk te staan. Let wel op dat de geportretteerde niet eet en geen gekke bekken trekt. Bij kinderen zult u het moment moeten afwachten waarop ze het gek doen beu zijn en even zichzelf zijn. Dat is het moment waarop u de foto neemt, snel en zonder veel na te denken.**

\* Een goed moment voor het maken van portretfoto's is als de zon laag staat. Om het gele avondlicht tot zijn recht te laten komen, kunt u de camera op 'daglicht' zetten, ofwel de witbalans instellen. Digitale camera's maken het licht anders namelijk wit.

Heeft u de mogelijkheid uw lens te vervangen, gebruik dan liefst een 80mm lens (70 of 90 mm is ook goed). Een zoomlens die daarbij in de buurt komt werkt eveneens; stel de lens in op een overeenkomstige waarde. De foto kan op circa 1,50 tot 3 meter afstand genomen worden.

*Een portretfoto genomen met avondlicht, de tafel is als statief gebruikt*

### Rustige achtergrond

Voor het maken van een portretfoto kunt u het best een rustige achtergrond kiezen. Dit betekent niet dat de achtergrond een egale kleur moet hebben, het belangrijkst is dat er geen storende elementen zijn, zoals banken, lampen, prullenbakken of schilderijen – kortom alles wat de aandacht van het onderwerp afleidt. Het gaat erom dat het achtergrondpatroon regelmatig en rustig is.

Door gebruik te maken van de portretstand wordt de scherptediepte-instelling klein gehouden, zodat het model scherp in beeld komt en de achtergrond vervaagt op het moment dat u scherpstelt.

*De achtergrond is hier niet overheersend, maar wel kunt u overwegen haar nog te vervagen met Photoshop Elements. Deze foto is een buitenopname met een bewolkte lucht. Daarmee voorkomt u verkrampte gelaatstrekken*

### Voorkom een waterhoofd, punthoofd, reuzenneus

Ga een eindje van de persoon af staan en zoom in om een portret te maken. Doe niet wat veel andere mensen doen: heel dichtbij komen om een foto te maken. Door te dichtbij te staan, is het nodig het beeld zo ver mogelijk uit te zoomen om het gewenste in beeld te krijgen. De camera staat dan in de groothoekstand, waarbij vooral voor dichtbij de perspectivische vertekening groot is.

*Vooral bij portretfoto's levert de dichtbijstand (groothoekstand) karikaturale vertekeningen op*

Neemt u de foto iets van boven dan krijgt de persoon een water-hoofd, neemt u hem iets te laag dan ontstaat er een punthoofd, en recht van voren genomen kan de neus zo groot worden dat Pinokkio er jaloers op is. Om vertekening bij portretfoto's te voorkomen, is het dus beter wat meer afstand nemen en de zoomfunctie te gebruiken om het hoofd van dichtbij in beeld te krijgen.

### 4.9b  Spontane foto's
Veel foto's lijken geposeerd. Wilt u dit vermijden, zorg dan dat u de mensen bezighoudt: laat ze iets doen of praat met ze (bereid u voor door te bedenken wat iemand interesseert) en druk onderwijl 'stie-kem' af. Het resultaat zal veel beter zijn: ontspannen gezichten met een natuurlijke uitstraling.

Een belangrijke factor bij het maken van foto's is de afstand. Vooral bij spontane foto's geldt dat, en voor iedere situatie zal de instelling ervan afwijken. Kinderen zijn lastig 'spontaan' te fotograferen, om van dieren nog maar te zwijgen. Zodra kinderen de camera zien, veran-deren ze van houding. Ze voelen de aandacht en zullen daarop rea-geren. De meeste kinderen veranderen dan direct in een fotomodel in spe. Maak daarom op een onverwacht moment een foto en neem ook rustig wat meer afstand, zodat ze u niet zien. Of maak de foto's met een telelens.

*Deze foto is gemaakt met flits omdat het licht van buiten een te sterk contrast opleverde*

*Voor het maken van deze foto waren zeven shoots nodig. De baby lag op een bank voor een ontspannen uitdrukking*

### 4.9c   Actiefoto's

Actiefoto's moeten beweging uitdrukken. Wanneer u een lange sluitertijd gebruikt, duurt het even voordat de foto wordt genomen. Er ontstaat zo een duidelijk verschil tussen bewegende en stilstaande beelden.

Wanneer uw camera een speciale kinderstand heeft, zal deze een hogere ISO-waarde instellen waardoor de sluitertijd korter wordt en u beelden krijgt waarin bewegende kinderen scherp in beeld komen. U kunt ook kiezen voor een stand met een lagere sluitersnelheid; dit geeft speelse en spontane beelden. In het volgende voorbeeld ziet u goed het verschil tussen het stilstaande (achterste) en het bewegende (voorste) kind.

Om te voorkomen dat de camera nog scherp moet stellen op het onderwerp (afdrukvertraging), kunt u vooraf scherpstellen op een voorwerp dat op ongeveer dezelfde plaats staat. Druk daartoe de ontspannerknop half in. Zodra u de foto neemt (iemand die in het water springt, dansende mensen, enzovoort) zal de camera minder tijd nodig hebben om de foto te maken.

*Links een spontane foto met kinderen die de camera niet in de gaten hebben, rechts het onvermijdelijke plaatje als de camera ontdekt is*

Neem niet alleen afstand, maar let ook op de timing. Vooral bij het fotograferen van kinderen en dieren moet u snel of al op voorhand reageren. Het is niet makkelijk, maar actie maakt een beeld veelal interessanter. Wilt u de actie bevriezen dan zult u een snelle belichtingstijd moeten instellen: 1/250 of sneller.

**✳** Reageer snel. Houd uw camera in de aanslag om bijzondere situaties te kunnen fotograferen en maak de foto voordat mensen gaan poseren. Vraag wel altijd toestemming als u foto's van mensen maakt, zeker als u ze wilt gebruiken voor bijvoorbeeld publicatie.

*Bij deze foto is een korte
sluitertijd gebruikt, zelfs
de waterspetters lijken
bevroren*

### 4.9d   Zoom in
Digitale camera's hebben twee soorten zoom: optische en digitale.
Digitale zoom lijkt handig, maar in de praktijk heeft u er niets aan. Er
wordt slechts een klein deel van de camerasensor gebruikt, waardoor
het beeld groter lijkt. Maar in werkelijkheid is de kwaliteit van de
foto slechter, omdat de beeldsensor minder punten gebruikt. Bij de
optische zoom wordt het beeld echt dichterbij gehaald en wordt nog
steeds de hele beeldsensor gebruikt.

### 4.9e   Houd de verhoudingen in de gaten
Wat we hiermee bedoelen is: wat wilt u op de foto hebben? De
omgeving of de gefotografeerde persoon? Het is belangrijk dat u
de juiste verhoudingen zoekt. Als u het niet zeker weet, neem dan
gewoon wat meer op de foto, want met een beeldbewerkingsprogramma kunt u altijd nog een uitsnede maken. Het is wel belangrijk
de foto's met een hoge resolutie te maken, zodat ook de uitsneden
scherp blijven.

### 4.9f   Kies uw standpunt
Wanneer u kinderen fotografeert, zult u dit vaak vanuit de positie van
de volwassene doen. Logisch, want in het dagelijks leven zakt u ook
niet voortdurend door de knieën om op kinderhoogte te communi-
ceren. Maar bij het maken van foto's is het belangrijk te bepalen op
welke hoogte u dit doet.
Wij vinden niet dat kinderfoto's per definitie op kinderhoogte
gemaakt moeten worden, maar vaak geeft het wel een beter resultaat. Wees in ieder geval altijd bewust van uw standpunt.

*Foto genomen op de hoogte van het kind*

*Foto van bovenaf*

### 4.9g   *Echt lachen*

Probeer een kind spontaan te laten lachen, niet gemaakt. Zo jong als ze zijn, al vrij snel gaan ze poseren met een fotolach die onnatuurlijk overkomt. Maak een grapje, dan komt de echte lach in beeld. Zorg wederom dat u een groot aantal foto's maakt. Daarbij zijn foto's van lachende kinderen niet per definitie het aantrekkelijkst; als ze er serieus op staan kan het resultaat ook geweldig zijn.

# Foto's beheren

## 5

U komt terug van vakantie of een dagje uit met een camera boordevol foto's. De vraag is vervolgens wat u ermee gaat doen. Zet u ze op de computer of op een cd-rom om er nog maar af en toe naar te kijken, of gaat u er iets leuks mee doen? Van alle foto's die u neemt, zullen er maar enkele al helemaal goed zijn. Ze hoeven niet eens gecorrigeerd te worden en kunnen zo ingelijst worden. Dan zijn er natuurlijk foto's die gewoon mislukt zijn. Die gooit u weg. De meeste foto's zijn niet perfect, maar u kunt ze flink opknappen met een beeldbewerkingsprogramma, bijvoorbeeld door rode ogen weg te werken, de horizon recht te zetten, spannende uitsneden te maken en kleuren te corrigeren. En heeft u eenmaal een verzameling waarmee u voor de dag kunt komen, dan zijn er allerlei manieren om uw foto's te presenteren. U kunt ze thuis printen, laten afdrukken in een kant-en-klaar fotoalbum, in een digitaal fotolijstje zetten, op een website plaatsen, er een diapresentatie van maken, enzovoort.

## 5.1   Foto's op tv of computer bekijken

U kunt gemaakte foto's direct op het beeldscherm van uw televisie bekijken. Daarvoor heeft u slechts een kabeltje nodig dat u aansluit op de video- en audio-ingang van de tv. Dit wordt meestal meegeleverd met de camera.

* Nieuwe tv's hebben vaak een usb-aansluiting. Sommige zijn ook voorzien van een sd-slot, waar u rechtstreeks de geheugenkaart in kunt steken.

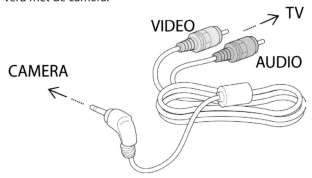

Tegenwoordig wordt vrijwel iedere camera automatisch herkend door de computer als hij via usb wordt aangesloten – hetzelfde geldt voor de geheugenkaart als deze in een kaartleesstation wordt geplaatst. Op de Mac verschijnt de camera of de geheugenkaart met bijbehorend symbool op het bureaublad en in de Finder. In de Windows Verkenner worden camera's en geheugenkaarten ook als extra schijven in het mappenoverzicht getoond. U kunt de foto's van die extra schijf naar uw harde schijf slepen en daar een aparte map (met submappen) aanmaken. Nog makkelijker is het gebruik van een programma als Picasa voor het beheren van uw foto's.
Als de geheugenkaart vol is, kunt u geen foto's meer maken. Tijdens een vakantie is dat heel onhandig. U kunt beter altijd een reservekaart bij de hand hebben, zo duur is een geheugenkaart niet. Desnoods kunt u natuurlijk foto's van uw camera verwijderen om zo ruimte vrij te maken.

Veel hotels hebben een aparte computer voor de gasten en op veel plaatsen vindt u een internetcafé of soortgelijke gelegenheid. U kunt daar misschien zelfs uw foto's op cd branden of naar huis e-mailen. Een andere optie is de foto's op een webruimte te parkeren, zoals Hyves, Flickr, Locr of Picasa. Dan kunnen familie en vrienden (afhankelijk van de instelling) uw foto's alvast bekijken.

## 5.2 Foto's overzetten naar de computer

Meestal gaat het overzetten van foto's via een usb-kabel, maar het kan ook met een kaartlezer. Mogelijk is er een kaartlezer ingebouwd in uw computer, maar ze zijn ook los verkrijgbaar en worden dan aangesloten op de usb-poort. U steekt het geheugenkaartje in de kaartlezer om de foto's te kopiëren naar de computer. Er zijn ook camera's met een *docking station*, met één druk op de knop gaan de foto's dan naar de computer.

*Sandisk sd-kaart met kaartlezer waarmee u de kaart direct op een usb-poort kunt aansluiten en uitlezen*

### 5.2a Via de Windows Verkenner

Zodra u de camera of geheugenkaart heeft aangesloten op de computer verschijnt deze als extra opslagapparaat in de Verkenner. Ook kunt u een apart programma gebruiken om de foto's te uploaden en te archiveren. Voorbeelden zijn Picasa en Windows (Live) Fotogalerie.

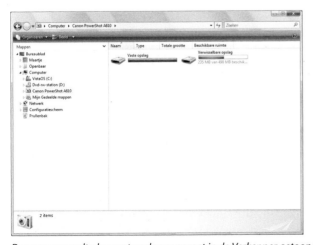

*De camera wordt als apart opslagapparaat in de Verkenner getoond*

Sommige camera's worden niet herkend onder Windows Vista. Is dit bij u ook het geval, kijk dan eerst of Vista de camera wél herkent zonder de bijgeleverde software van de fabrikant. Als u deze software al heeft geïnstalleerd, de-installeer die dan en sluit de camera opnieuw aan.

Een kaartlezer is altijd geschikt voor sd-kaartjes, meestal ook voor Memory Sticks, maar vaak niet voor xD-kaartjes.

**1 Klik met de rechtermuisknop op uw camera in de Verkenner.**

**2 Kies in het snelmenu de optie *Afbeeldingen importeren*.**
**3 Geef in het volgende venster een label aan de foto's.**

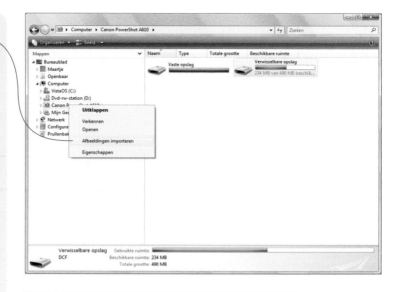

**4 Klik op [Importeren].**
**5 Vink [Foto's na importeren wissen] aan om de foto's na het importeren van de camera te verwijderen.**

**6 De foto's zijn nu naar de map *Afbeeldingen* op uw computer verplaatst.**

### 5.2b  *Via meegeleverde software*

Bij de meeste digitale camera's wordt software geleverd om de foto's van de camera naar de computer over te zetten. Soms is er ook begeleidende software waarmee u de afbeeldingen kunt bewerken; bij het ene pakket gaat het om simpele en beperkte mogelijkheden, een ander pakket kan een hele reeks mogelijkheden bieden.

In het volgende voorbeeld ziet u de downloadsoftware van Nikon om foto's over te zetten naar de computer. Met het programma Nxview kunnen de foto's op het beeldscherm bekeken worden. Dergelijke programma's bieden soms opties die standaard niet mogelijk zijn, zoals hernoemen en toevoegen van exif-informatie (naam, eigenaar en sleutelwoorden; zie §5.5) die op de opnamen van toepassing zijn.

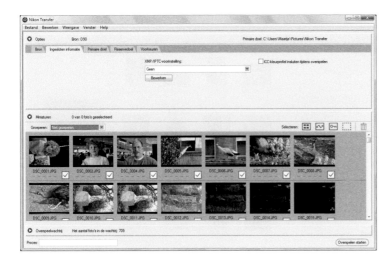

Ook kunt u met zo'n programma vaak selectief bestanden overzetten. U kiest de foto's zelf uit en dat is vaak beter dan een alles-of-
nietsoptie. De viewersoftware kan gebruikt worden om foto's te
rubriceren en te organiseren in een systeem dat u het best bevalt.
De viewer is ook in staat de EXIF-informatie te tonen en als er geografische tags aanwezig zijn, kan het mogelijk laten zien waar de foto's
zijn gemaakt (in Nxview is dit ieder geval mogelijk, zie §5.5).

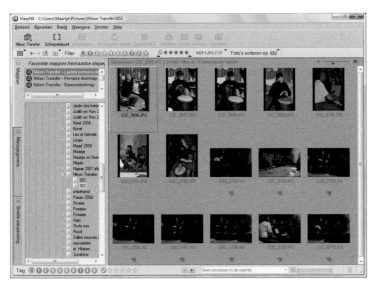

## 5.3    Foto's bekijken met een viewer

### 5.3a    *Windows*
Als u foto's op uw computer heeft gezet, kunt u ze direct bekijken
met een viewer. Standaard wordt in Windows Vista de Fotogalerie
geopend waarmee u foto's kunt bekijken. Maar er zijn natuurlijk veel
meer viewers op internet te vinden.

**1 Start de Windows Verkenner.**
**2 Open een map met foto's
en klik op een van de foto's.**
Rechts in het venster wordt de
geselecteerde foto iets groter
getoond.
**3 U kunt op de foto's in- en uit-
zoomen** door de <Ctrl>-toets
ingedrukt te houden en het
muiswieltje van u af te rollen
(inzoomen) of het muiswieltje
naar u toe te rollen (uitzoomen).

**4 Heeft uw muis geen wieltje**
klik dan op het pijltje naast de
knop [Beeld] en kies een van
de opties.

### 5.3b *Mac*

Ook als u foto's op uw Mac heeft gezet, kunt u deze direct bekijken
met een viewer. Standaard is in Mac OS/X de Voorvertoning aanwezig waarmee u foto's kunt bekijken en natuurlijk heeft u de beschikking over iPhoto waarin u de foto's beheert. Maar er zijn ook voor de
Mac veel meer viewers op internet te vinden.

**1 Start de Finder** door het
icoon uit het *dock* aan te klikken of door op het bureaublad
te dubbelklikken op het symbool van de harde schijf.
**2 Zorg ervoor dat het symbool
voor kolommenweergave is**
geselecteerd (sneltoets: <Com-
mand>+<3>).
**3 Open een map met foto's**
en klik op een van de foto's.
Rechts in het venster wordt de
geselecteerde foto als voorvertoning getoond met wat bijbehorende informatie.

### 5.3c Een andere fotoviewer instellen (Windows)

Als er meerdere fotoviewers op uw computer staan, kunt u eenvoudig kiezen met welk programma u foto's wilt bekijken.

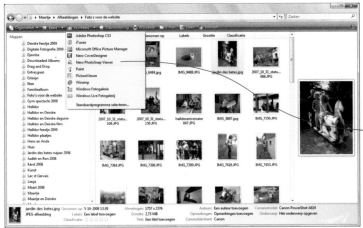

**1 Open een map met foto's en klik op een foto. Nu verschijnt bovenaan een balk met knoppen speciaal voor foto's.**
**2 Klik op het pijltje naast de knop [Voorbeeld] (of [Openen]) en klik op het programma in de lijst dat u als viewer gebruiken wilt.**

*Picasa-fotoviewer*

**3 Nu wordt de betreffende viewer gestart. Er zijn veel van dit soort programma's die ongeveer hetzelfde kunnen: foto's tonen, archiveren, bewerken en op cd branden.**

Wilt u standaard voor een andere viewer kiezen, keer dan terug naar het foto-overzicht in de Verkenner.

1 **Open een map met foto's en klik op een foto.**
2 **Klik op het pijltje naast de knop [Voorbeeld] en kies** *Standaardprogramma selecteren.*
3 **Zoek in het overzicht het programma dat u als standaardviewer wilt gebruiken.**
4 **Ziet u dit programma hier niet, klik dan geheel onderaan in het venster op het pijltje achter** *Andere programma's* **en zoek in het vervolgoverzicht het programma dat u wilt gebruiken.**
5 **Klik op dit programma en daarna op [OK].**

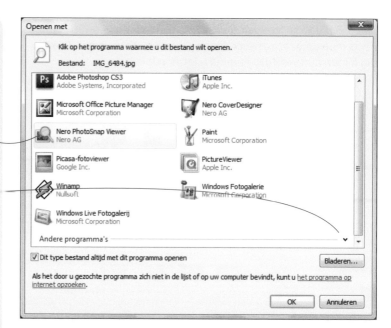

*Nero PhotoSnap Viewer*

## 5.4 Behoud het overzicht

In korte tijd kunt u een omvangrijke fotocollectie opbouwen. Maar hoe zorgt u er nu voor dat u de foto's van al die grote en kleine vakanties, verjaardagen uit elkaar kunt houden en terugvinden? En vergeet die tussendoorkiekjes niet... Er zijn handige programma's om uw foto's te beheren, zoals iPhoto, Picasa of Windows Fotogalerie. Al dit soort programma's heeft met elkaar gemeen dat u de foto's kunt organiseren: de volgorde veranderen, hernoemen, van trefwoord voorzien, enzovoort. Het terugvinden van foto's is zo geen probleem meer. Vaak kunt u met hetzelfde programma ook e-mailen, diapresentaties maken, een online fotobibliotheek inrichten, en ga zo maar door.

## 5.4a   *Een fotoalbum op de computer*

Met de komst van de digitale fotografie heeft de computer de rol van fotoalbum en schoenendoos overgenomen. Uw foto's worden zo economischer bewaard, en ook overzichtelijker, maar zeker kwets- baarder.

Hierbij enkele tips om de foto's eenvoudig en veilig te bewaren, en te delen met anderen. De eerste stap is het simpelst. Zorg voor een structuur waarin u digitale (en gedigitaliseerde) foto's verzamelt. Dit doet u door op de harde schijf een hoofdmap aan te maken, met daarin submappen om de foto's te bewaren en ordenen.

Als u zich veel met fotografie bezighoudt, is een snelkoppeling naar het bureaublad misschien gewenst. Of wellicht geeft u de voorkeur aan een specifieke plaats op een (extra) harde schijf. Via een snelkop- peling kunt u ook dan direct vanaf uw bureaublad bij de foto's.

In ons voorbeeld gebruiken we de map *Afbeeldingen* om alle foto's te bewaren.

Als u bewerkingen gaat uitvoeren, is het belangrijk dat u de originele foto's onaangetast laat. Picasa en de Windows Fotogalerie hebben hier al een eigen oplossing voor, maar wilt u alles zelf in de hand houden kies dan een vaste werkwijze, bijvoorbeeld:

- strand.jpg (het origineel in de hoofdmap);
- strand-uitsnede.psd (de bewerkte versie in Photoshop-formaat in de werkmap);
- strand-uitsnede.jpg (het eindresultaat in een aparte map *Gereed*).

Hiermee heeft u een simpel maar doeltreffend systeem voor kleine fotoverzamelingen. Voor grote hoeveelheden foto's is een speciaal programma handiger.

Sommige digitale camera's en hun software maken automatisch een mappenstructuur aan op basis van de data waarop de foto's gemaakt zijn. U hoeft dan alleen uw fotomap als hoofdmap op te geven.

### 5.4b  *Picasa*

Picasa is een beeldbewerkingsprogramma van Google. U kunt er foto's mee bekijken, bewerken, archiveren, afdrukken, e-mailen, op internet zetten, enzovoort. Picasa is een handig programma voor iedereen die de meest basale handelingen snel wil uitvoeren zonder er veel tijd aan te besteden. Bovendien is Picasa gratis en verplicht het gebruik ervan u tot niets. Wel is het hebben van een Google-account nodig als u optimaal gebruik wilt maken van het programma. U kunt dan bijvoorbeeld ook foto's in een webalbum plaatsen. De nieuwste versie van Picasa is versie 3. Een bètaversie is ook voor de Mac beschikbaar – deze werkt samen met iPhoto.

**1  Download Picasa 3 vanaf picasa.google.com en installeer het programma. Mac-gebruikers kunnen de bètaversie downloaden vanaf picasa. google.com/mac.**
**2  Als u Picasa voor het eerst start, verschijnt een melding met de vraag of u de hele computer wilt scannen op afbeeldingen of alleen de mappen *Mijn documenten, Mijn afbeeldingen* en het bureaublad. Maak een keuze en klik op de knop [Doorgaan].**

**3  In het volgende venster kunt u bepalen welke bestandstypen gebruikt worden voor de Picasa-fotoviewer en of u die als standaardprogramma wilt gebruiken voor het bekijken van foto's in het aangegeven formaat. Klik op [Voltooien].**

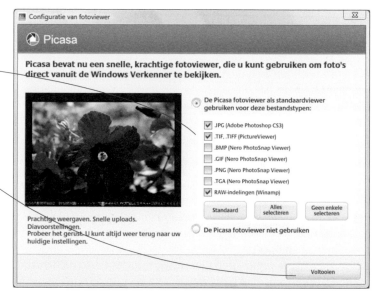

✳ Wilt u dit laatste venster ooit opnieuw instellen, kies in Picasa dan *Extra, Fotoviewer configureren.*

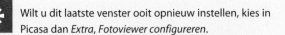

**4** U moet nu even wachten omdat Picasa de aangegeven mappen doorzoekt naar foto-bestanden, zodat u ze vanuit het programma kunt bekijken en bewerken. Picasa maakt automatisch snelkoppelingen naar die bestanden.

**5** De fotoviewer is een apart programma dat geïnstalleerd wordt bij Picasa 3. Heeft u aan-gegeven dat u Picasa als stan-daardviewer wilt gebruiken, dubbelklik dan op een foto om deze te bekijken. Heeft u de fotoviewer niet als standaard ingesteld, gebruik dan de rech-termuisknop en kies *Openen met,* gevolgd door *Picasa foto-viewer.*

**6** De foto wordt als een zwe-vend object in het venster geplaatst. Onder de foto ziet u een aantal knoppen waarmee u naar de andere foto's in die map kunt bladeren en waar-mee u functies kunt activeren, zoals het bewerken van foto's of het uploaden ervan.

## Indeling van het venster

Zodra u Picasa start, ziet u links in het venster de mappen met foto's. In het begin is dat even wennen, omdat het programma een eigen mappenstructuur hanteert en sorteert op de datum waarop de foto's genomen zijn.

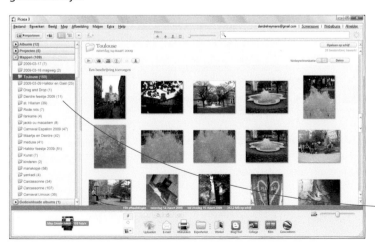

**1** Om een andere volgorde te kiezen, klikt u bovenaan op het pijltje en kiest u een van de vier mogelijkheden, bijvoor-beeld *Sorteren op naam.*

**2** Nu worden de mappen alfabetisch gesorteerd. U kunt op ieder moment een andere weergave kiezen. Voor het gemak gebruiken we in dit boek de sortering op datum.

**3** Aan een nummer op de map ziet u hoeveel foto's erin zitten. Vetgekleurde mappen bevat-ten nieuwe foto's, die nog niet bekeken zijn in Picasa.

> ✳ U kunt de mappenstructuur eruit laten zien als in de Verkenner. Klik daartoe op [Mappenstructuur] (⊞). Om dit ongedaan te maken, klikt u op [Platte mappenstructuur] (☰).

Links in het venster ziet u een aantal aanduidingen, zoals *Albums*, *Projecten* en *Mappen*. De laatste is de belangrijkste locatie voor uw fotobestanden. Hier vindt u de mappen zoals u ze in de Verkenner heeft aangemaakt. Maar ook de mappen *Albums* en *Projecten* (die gebruikt wordt voor de opslag van fotocollages, films, enzovoort) zullen veelvuldig gebruikt gaan worden.

**4  Als u Picasa heeft gestart, wilt u natuurlijk uw fotocollecties bekijken. Blader naar een map en klik erop om te zien welke foto's daarin staan.**

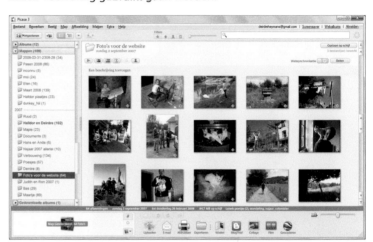

**5  De foto's worden in postzegelformaat getoond. Om een foto te vergroten, dubbelklikt u erop.**

U komt nu in een venster terecht waarin u de foto's kunt bewerken. Links ziet u drie tabbladen: *Basisbewerkingen*, *Afstellen* en *Effecten*. We komen hier in hoofdstuk 6 op terug.

6 Klik op [Terug naar biblio-
theek] om terug te keren naar
het overzicht met foto's.
7 Klik op [Diavoorstelling] ( ▶ )
om op schermgrootte een voor-
stelling af te spelen van de foto's
in de geselecteerde map.
8 Om de diavoorstelling te stop-
pen, drukt u op de <Esc>-toets
op het toetsenbord.

> ⚠ Het zal u wellicht opgevallen zijn dat de foto's in ons
> voorbeeld gemarkeerd zijn met een groen pijltje (rechts-
> onder). Dit betekent dat de foto's geüpload zijn naar een web-
> album. Meer uitleg hierover vindt u in hoofdstuk 7.

*Zoeken*

Voor het zoeken van foto's bestaan allerlei manieren. Het eenvou-
digst is het intypen van de mapnaam rechts bovenaan in het venster. Zoekt u echter individuele foto's dan wordt het vaak al lastiger.
Daarom kunt u de foto's voorzien van tags of andere kenmerken.
Laten we beginnen met het sterretje waarmee u bijvoorbeeld uw
allermooiste foto's kunt markeren.

1 Selecteer een foto en klik op
de knop met de ster onderaan in
het venster ( ☆ ).
2 Op de fotominiatuur verschijnt nu een gele ster.

**3 Herhaal deze handeling voor
alle foto's die u deze waarde-
ring wilt geven.
4 Om alleen foto's met een ster
te tonen, klikt u onder** *Filters*
**op de knop met de groene ster.
5 Wilt u alle foto's weer zien,
klik dan nogmaals op de knop
met de groene ster.**

\* Klik op de knop 👤. Alleen portretten komen nu tevoorschijn. Het
programma doet dit op basis van specifieke kenmerken, het kan
dus zijn dat sommige portretten niet herkend worden.

De foto's kunnen ook voorzien worden van een of meer labels, een
soort sticker met een bepaald kenmerk: 'fontein', 'water' of de plek
waar u de foto heeft genomen.

**1 Klik op een foto en druk op
<Ctrl>+<t>.
2 Typ het eerste label en klik
op [Toevoegen].
3 Bent u klaar, klik dan op
[Gereed].**

U kunt meerdere foto's tegelijk van een label voorzien. Hoe dit werkt, bespreken we hieronder.

*Selecteren*
Als u op een foto klikt, wordt hij geselecteerd. Maar u kunt meerdere foto's selecteren, bijvoorbeeld om ze allemaal dezelfde labels te geven, om ze naar een webalbum te uploaden of om een fotocollage te maken.

1 **Om alle foto's in een map selecteren, drukt u op <Ctrl>+<a> terwijl u in die map staat.**
2 **Om slechts enkele afbeeldingen in die map te selecteren, drukt u de <Ctrl>-toets in en klikt u steeds op een volgende foto. Het opheffen van de selectie doet u op dezelfde manier: terwijl u <Ctrl> ingedrukt houdt, klikt u op een geselecteerde foto.**
3 **Een aaneengesloten reeks foto's selecteert u door op de eerste foto te klikken, de <Shift>-toets in te drukken en op de laatste foto in de reeks te klikken.**
4 **Wilt u de selectie van alle foto's opheffen, klik dan buiten de foto's of druk op <Ctrl>+<l>.**

 Handig om te weten is dat de zoekfunctie van de Verkenner ook de labels van Picasa meeneemt.

*Selectie vasthouden*
Wanneer de selectie zich uitstrekt over diverse mappen zult u een andere werkwijze moeten hanteren, want zodra u een andere map opent wordt de selectie in de voorgaande map opgeheven.

*Mappenbeheer*
Links in het venster worden de mappen met de foto's getoond. De namen komen overeen met die in de Verkenner. U kunt deze mappen echter niet behandelen zoals in de Verkenner.

*Mappen uit Picasa verwijderen*
Het is wel mogelijk mappen uit het overzicht in Picasa te verwijderen.

4 **Voortaan kunt u de foto eenvoudig opzoeken door de labelnaam in te typen (rechtsboven).**
5 **Vergeet niet op de knop [Terug naar 'Alles bekijken'] te klikken om alle foto's weer te zien.**

1 **Open de eerste map met foto's en selecteer de gewenste foto's op een van de hiervoor beschreven manieren.**
2 **Klik op de knop ⚲ onderaan in het venster om de selectie vast te houden. De foto's verschijnen daar ook. Een wit rondje met een groene stip erin geeft aan dat de foto's geselecteerd zijn.**
3 **Herhaal deze handelingen voor iedere volgende map. Op deze manier kunt u steeds weer foto's uit andere mappen aan de selectie toevoegen.**
4 **Om foto's uit de selectie te wissen, selecteert u die en klikt u vervolgens op de knop ○.**

**1** Klik met de rechtermuisknop op de mapnaam en kies *Verwijderen uit Picasa*.
**2** Klik in het volgende venster op de knop [Ja]. De map is nu niet meer zichtbaar in Picasa, maar natuurlijk nog wel aanwezig op uw harde schijf.

> ⚠ In hetzelfde snelmenu vindt u (onderaan) de optie *Map verwijderen*. Pas op dat u niet per ongeluk deze optie kiest, want daarmee verwijdert u een map echt van de harde schijf.

*Mappen aan Picasa toevoegen*

Bij de installatie van Picasa heeft u aangegeven welke mappen opgenomen moesten worden. Als u de computer niet volledig heeft gescand op afbeeldingen, kan het zijn dat een map met afbeeldingen is overgeslagen die u toch nog graag wilt opnemen. Daarvoor zet u de volgende stappen.

**1** Kies *Extra* en *Mappenbeheer*.
**2** Kijk naar de symbolen rechts in het venster en lees wat ze betekenen.
**3** Open de map die u wilt toevoegen en klik op het gewenste symbool. Wilt u de map maar één keer scannen dan gebruikt u het vinkje (✔), wilt u de map constant bijwerken dan gebruikt u het oogje (👁).

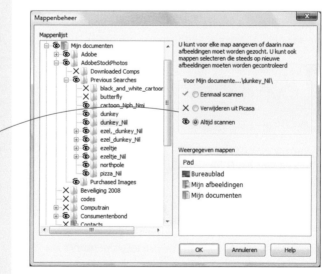

*Albums maken*

Een album is een plaats waar u foto's verzamelt, bijvoorbeeld 'Vakantie' of 'Kinderen'. Albums zijn in Picasa onmisbaar om het overzicht te behouden. Heeft u tijdens uw vakantie een leuke foto van een kind gemaakt dan kunt u die zowel in het album 'Vakantie' als in het album 'Kinderen' plaatsen. Albums bevatten eigenlijk alleen maar snelkoppelingen naar foto's. Zodra u de originele foto's verwijdert, verdwijnen ook de foto's uit de albums.

1 **Klik op het knopje [Een nieuw album maken] ( + ) bovenaan of gebruik de sneltoets <Ctrl>+<n>.**
2 **Geef het album een naam, kies een datum en typ eventueel een locatie en een beschrijving. Klik op [ok].**

\* Wilt u bij het afspelen van een diavoorstelling muziek laten horen, schakel dan de optie *Gebruik muziek voor diavoorstelling en filmpresentatie* in en kies via [Bladeren] de gewenste muziek.

3 **Selecteer de foto's die u in het album wilt plaatsen.**
4 **Klik op de knop ( ▼) en kies het album waaraan u de foto's wilt toevoegen. Het zojuist aangemaakte album staat al in het lijstje.**

5 **Kijk in uw album en controleer of de foto's erin staan.**

6  Wilt u naderhand de instellingen van het album wijzigen, dubbelklik dan op de naam van het album, breng de wijzigingen aan en klik op [ok].

7  Om de foto's in een album in een andere volgorde te zetten, sleept u ze eenvoudig van de ene naar de andere plaats of klikt u met de rechtermuisknop op de naam van het album en kiest u in het snelmenu *Album sorteren op*, gevolgd door *Naam*, *Datum* of *Grootte*.

8  Om foto's uit een album te verwijderen, drukt u op <Del> terwijl u op de foto staat. Klik op [Ja] om te bevestigen dat de foto uit het album verwijderd moet worden.

! Druk alleen op de <Del>-toets als u in een *album* staat! Op die manier kunt u nooit per ongeluk de originele foto van de harde schijf verwijderen.

## 5.5   Geocoderen

Geocoderen (ook wel *geotagging*) is het toevoegen van positiecoördinaten aan de exif-gegevens van de foto. Deze coördinaten zijn de welbekende hoogte- en breedtegraden die gebruikt worden in scheepsnavigatie of in een TomTom. Met deze informatie kan in bijvoorbeeld Google Earth precies aangegeven worden waar u stond en soms zelfs in welke richting u keek toen u de foto maakte.

Er zijn drie manieren om foto's te geotaggen:
1  direct vanuit de camera;
2  locaties registreren met een tracker en deze later samenvoegen met de foto's;
3  met software (handmatig) aan foto's toevoegen.

Met de gps-informatie kunt u precies zien waar een foto is gemaakt en u kunt foto's sorteren op plaats, land of locatie zonder dat u die informatie gedetailleerd hoeft toe te voegen – deze is immers al in de foto('s) aanwezig.

* **EXIF**
De afkorting staat voor *exchangeable image file format*, dit is toegevoegde informatie in uw afbeelding. De informatie vertelt met welke camera de foto is gemaakt, welke instellingen daarbij zijn toegepast en bevat eventueel nog veel meer informatie, zoals gps-informatie.

Op het moment is het aantal toepassingen dat gebruikmaakt van deze informatie nog beperkt. Op de Mac kunnen iPhoto-gebruikers (versie 9) hun foto's al bekijken onder *places* in de linkerbalk. Vervolgens kan er gesorteerd worden op continent, land, plaats en verdere gedetailleerde tags. Picasa-gebruikers kunnen hun gegeotagde foto's ook tevoorschijn halen en op de kaart tonen met Google Earth. Ook het Nikon-programma Nxview (pc en Mac) werkt met Google Earth om de plaatsen in kaart te brengen.

*Nikon Nxview-software*

De meeste GPS-trackers worden geleverd met software die uw foto's op de kaart zetten en de geografische locaties ervan tonen. Meestal is de software voor pc en Mac, maar sommige apparaten zijn (Quartz) alleen uitgerust met pc-software.
U kunt de geografische informatie ook zelf koppelen vanaf of in uw blog of website met behulp van Google Earth of Google Maps en KMZ-bestanden. *Keyhole Markup Language* (KML) is de standaardtaal voor geografische informatie en KMZ-bestanden bevatten die informatie in gecomprimeerde (gezipte) vorm. Deze informatie over locaties kan ook verwijzingen naar foto's bevatten en deze foto's op de kaart in Google Earth of Google Maps tonen. Sommige trackersoftware maakt automatisch KMZ-bestanden. Ook kan ze op basis van een reeks foto's met tijd en locatie netjes een route uittekenen. Met het bijbehorende KMZ-bestand beschikt u tevens over de mogelijkheid om reisinformatie (en de foto's) te delen.

 Wilt u meer informatie over KMZ-bestanden en hoe ze precies werken, raadpleeg dan de Consumentenbonduitgave *Internet en reizen*.

### 5.5a   *Direct vanuit de camera*

De eerste methode is het makkelijkst: maak gewoon een foto en de informatie wordt direct door de camera toegevoegd aan de EXIF-informatie van de foto. Handig, maar er is eigenlijk slechts één camera die dit kan: de Nikon P6000 (vanaf €345).

Een variant hierop is een accessoire die via een kabel op de camera aangesloten wordt en zo GPS-informatie doorspeelt die in de EXIF-gegevens wordt opgeslagen. Voorbeelden hiervan zijn de GP1 en de Geometr GNC-35 PhotoTagger. Beide zijn voornamelijk geschikt voor Nikon spiegelreflexcamera's.

Het voordeel van deze methode is dat de informatie direct op de camera toegevoegd wordt en voor zowel Windows als Mac bruikbaar is. U heeft naderhand geen aparte software meer nodig.

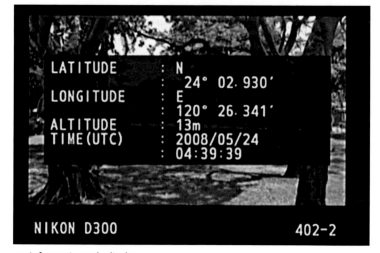

*GPS-informatie op de display*

### 5.5b   *Een tracker gebruiken*

De tweede manier is het bijhouden van de GPS-informatie met een tracker terwijl u foto's maakt. Het systeem is eenvoudig: de tracker slaat alleen locatie-informatie op die gekoppeld is aan de tijd die de GPS-satellieten uitzenden. Deze informatie kunt u inlezen op de computer en vervolgens koppelen aan de digitale foto's. Het koppelen geschiedt op basis van de tijdvermeldingen bij de locatiegegevens en de tijdvermelding in de fotobestanden. Belangrijk is dus dat de tijden overeenkomen, want anders kan er geen match gevonden worden. Voorbeelden zijn AMOD AGL3080, i-gotU GT-120 USB GPS Travel-/Photo Blogger SiRFIII 20Ch en GiSTEQ GPS PhotoTrackr Lite DPL700. De Qstarz BT-Q1000X (niet voor de Mac) is in staat zich op meerdere satellieten te oriënteren en kan nog sneller een plaatsbepaling vaststellen.

*i-90AU GT-120*

De ATP GPS PhotoFinder Mini is een tracker met een dockingstation. Bij terugkeer plaatst u de tracker in het dockingstation en aan de zijkant voert u de geheugenkaart met foto's in. Het dockingstation synchroniseert automatisch de locaties in de fotobestanden. Ook hier is een computer niet nodig.

*Mogelijke problemen*

Een van de grootste problemen is de tijdinstelling: als camera en tracker niet synchroon lopen, wordt er geen of een verkeerde locatie aan de foto's gekoppeld.

De meeste trackers werken op batterijen. Ze doen het lang, maar niet oneindig… controleer dus regelmatig of de tracker nog voldoende energie heeft en houd reservebatterijen achter de hand.

De gemiddelde tracker kan voor circa een tot drie weken route-informatie opslaan, sommige zelfs tot 3 maanden. Zet deze informatie regelmatig over op de computer om het geheugen vrij te maken voor nieuwe informatie. Het beste is zo snel mogelijk, bijvoorbeeld na een dag fotograferen of aan het eind van de vakantie, de informatie over te zetten en aan de foto's te koppelen.

### 5.5c  Informatie toevoegen met Picasa

De laatste manier om GPS-informatie toe te voegen aan foto's gebeurt 'handmatig'. Dit kan bijvoorbeeld in Picasa (pc en Mac) of in een EXIF-editor.

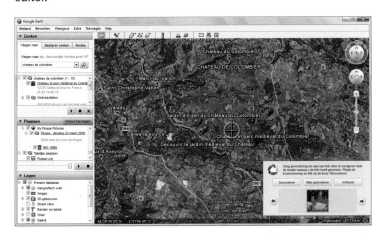

1  **Start Picasa en selecteer een foto.**
2  **Klik op de knop [Geocoderen].**
3  **Google Earth wordt gestart en u kunt een locatie opzoeken. Als er al een locatie aanwezig is in de foto-informatie dan zal dit op de kaart getoond worden.**

**4** Als de (nieuwe) locatie is uitgezocht, hoeft u alleen op de knop [Geocoderen] te klikken om de informatie in het bestand op te slaan.

**5** Klik op [Voltooid] om het venster te sluiten.

**6** In Picasa zal op de foto-miniatuur een symbooltje verschijnen waarmee wordt aangegeven dat de locatie is gemarkeerd in Google Earth.

**7** Als u een volgende keer op deze foto klikt en geocoderen start, zult u automatisch op de aangegeven plaats terechtkomen.

# Foto's bewerken

## 6

Als u een reeks foto's maakt met de digitale camera zullen de meeste foto's correctie nodig hebben. Sommige zijn onbruikbaar, maar veel foto's zult u zodanig kunnen verbeteren, dat het een mooi resultaat oplevert. Denk daarbij aan verscherpen, donkerder of lichter maken, bijsnijden, rode ogen verwijderen, details zichtbaar of onzichtbaar maken, enzovoort. Met correcties kunt u een op het eerste gezicht niet echt geslaagde foto ineens heel interessant maken.

Het bewerken van de foto's doet u met een beeldbewerkingspro-gramma, waarvan er veel op de markt zijn. De Windows Fotogalerie heeft al een aantal eenvoudige functies. Heel bekend (en gratis) is Picasa, dat primair bedoeld is voor het beheren van foto's, maar daar-bij een aantal zeer handige tools bevat voor het bewerken van foto's. Als we een stap verdergaan komen we bij programma's als Adobe Photoshop Elements, Paint Shop Pro, paint.NET (gratis) en Gimp (gratis). Deze bevatten vrijwel alle mogelijkheden van professionele beeldbewerkingsprogramma's maar richten zich meer op gebruik in huiselijke sfeer en het midden- en kleinbedrijf. Photoshop (zonder de toevoeging 'Elements') van Adobe wordt vooral gebruikt door pro-fessionele fotografen en ontwerpers. In dit hoofdstuk zullen we een aantal programma's behandelen:

- Windows Fotogalerie;
- Picasa;
- Adobe Photoshop Elements (€98, maar een proefversie is te downloaden op www.adobe.nl).

## 6.1   Oefenbestanden

Voordat u aan de oefeningen begint, moet u de map met oefen-bestanden downloaden op www.consumentenbond.nl/allesoverdigitalefotografie.
In deze map vindt u:

- de map *Oefenbestanden*, met bestanden die u nodig heeft voor het maken van de oefeningen;
- de map *Eindresultaten*, met de eindresultaten van de oefeningen zoals wij ze gemaakt hebben. Om te controleren of u het goed gedaan heeft, kunt u altijd terugvallen op de bestanden in deze map.
- de map *Werkmap*, waarin u de uitgewerkte bestanden kunt opslaan.

## 6.2   Windows Fotogalerie

De Windows Fotogalerie (standaard aanwezig in Windows Vista) is een eenvoudig en effectief programma om uw foto's te bekijken en er kleine bewerkingen mee uit te voeren. U kunt uw foto's afdrukken, een diavoorstelling maken, enzovoort.

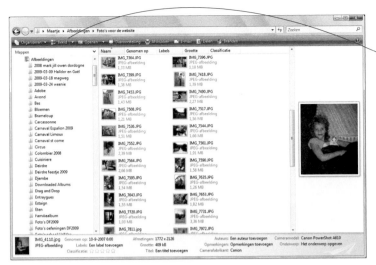

1 Start de Windows Fotogalerie en open de map met foto's.
2 Met het menu *Beeld* kunt u bepalen hoe u de foto's wilt zien, bijvoorbeeld alleen tekst of juist grote pictogrammen. Een handige optie is *Tegels*, waarmee u niet alleen het plaatje te zien krijgt, maar ook belangrijke informatie over de foto.

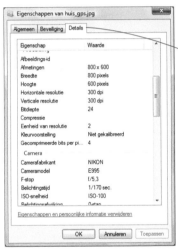

3 Als u een foto selecteert, staat er veel informatie onder in het venster, zoals afmetingen, grootte en datum. Sommige informatie kunt u aanpassen (auteur, opmerkingen, label, enzovoort).
4 Nog meer informatie kunt u vinden door met de rechtermuisknop op de foto te klikken en te kiezen voor *Eigenschappen*. Onder de tab *Details* staat alle beschikbare informatie.

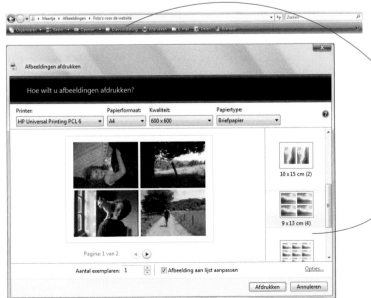

5 Klik op een foto en bovenaan verschijnt een aantal knoppen.
6 Een handige knop is [Diavoorstelling] waarmee u de foto's in de map kunt afspelen.
7 Met de knop [Afdrukken] kunt u een of meer geselecteerde foto's afdrukken. Zo kunt u op één vel een collage van foto's maken.

**8** Met de knop [E-mail] kunt u de foto's per e-mail verzenden. Handig is dat u hierbij het formaat kunt aanpassen en daarmee de grootte van de foto's kunt bepalen. Automatisch wordt Outlook gestart, waarmee de foto's kunnen worden verzonden.

**9** De knop [Delen] kunt u gebruiken als u de foto's wilt delen met een andere gebruiker in uw netwerk en de knop [Branden] is er om de foto's op cd/dvd te branden.

**10** Als u de foto's wilt bewerken, kan dit ook. Windows Fotogalerie biedt een aantal gereedschappen om uw foto's te verbeteren. Klik met de rechtermuisknop op een foto en kies *Bewerken*.

**11** Rechts ziet u de handige hulpjes, zoals *Automatisch aanpassen, Belichting aanpassen* en *Rode ogen wegwerken*. Begin met *Automatisch aanpassen*. De fotogalerie zal dan de meest optimale licht-donkerverhouding instellen.

**12** Is het resultaat niet zoals u hoopte, klik dan op [Ongedaan maken] en maak handmatig aanpassingen met *Belichting aanpassen*.

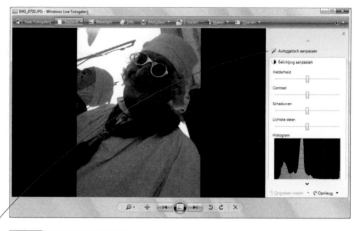

> **✳** Meer uitleg over Windows Fotogalerie en Windows Live Fotogalerie vindt u in het boek *De leukste gratis software*.

> **!** Hetzelfde geldt als u gebruikmaakt van de Windows Fotogalerie. Om te mailen of iets op internet te plaatsen, kunt u het programma het best combineren met een Windows Live- of Hotmail-account. In dit voorbeeld gaan we ervan uit dat u Google gebruikt, maar de werkwijze voor Windows Live is gelijk.

## 6.3   Picasa

### 6.3a   *Google-account*

Om Picasa optimaal te kunnen gebruiken, zult u een Google-account moeten aanmaken. U kunt dan foto's naar het webalbum uploaden, foto's per e-mail verzenden, enzovoort.

> **✳** Naarmate u vaker internet, zult u ook accounts en wachtwoorden gebruiken. Lastig, maar u kunt uw accounts en wachtwoorden bijhouden in een beveiligd Word-document (voorzien van wachtwoord) of een programma als Keepass Password Safe (http://keepass.info). Meer hierover leest u in *De leukste gratis software*.

Het Google-account geeft u gratis opslagruimte tot 7,3 GB, voor opslag van e-mail, foto's, video's, muziek, enzovoort. Wie nog meer ruimte wenst, kan die kopen. Om een Google-account aan te maken doet u het volgende.

1  **Ga naar** google.com.
2  **Klik vanuit de startpagina op [Gmail] bovenaan in het venster.**
3  **Klik op de link [Aanmelden voor Gmail].**

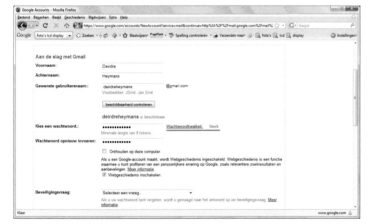

4  **Volg de stappen om een nieuwe account aan te maken.**

Na het doorlopen van deze stappen heeft u een volledig werkend Google-account.

### 6.3b   Fotobewerking

U kunt in Picasa de foto's bewerken met een aantal zeer effectieve toepassingen. Zo kunt u een foto bijsnijden, rechtzetten, tekst toevoegen, licht en donker regelen en effecten toepassen. We laten u een aantal voorbeelden zien. We starten vanuit Google omdat u zich hier zojuist heeft aangemeld. Natuurlijk kunt u Picasa ook gewoon rechtstreeks openen.

1  **Klik in het hoofdvenster van uw Gmail op [Foto's]. Meld u in het volgende venster aan met uw e-mailadres en wachtwoord.**
2  **Klik op de button [Picasa starten].**
3  **Plaats de aanwijzer op een foto en dubbelklik.**

4  **De foto wordt vergroot. Om in te zoomen op de foto houdt u de muisknop even ingedrukt. U kunt nu met het handje slepen in de gewenste richting. Om weer uit te zoomen, klikt u in de foto.**

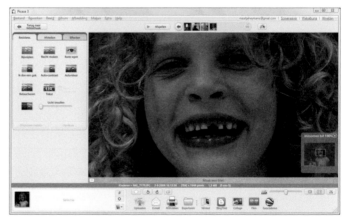

5  **Links in het venster ziet u drie tabbladen: *Basisbewerkingen*, *Afstellen* en *Effecten*. Op het tabblad *Effecten* vindt u een aantal effecten waarmee u een deel van de foto een speciaal effect kunt geven, zoals een zachte focus.**
6  **Om het effect definitief toe te passen, klikt u op [Toepassen].**

**7 Klik vervolgens op [Terug naar bibliotheek].**
**8 Als u foto's bewerkt, wordt de bewerking pas definitief wanneer u de afbeelding selecteert en op <Ctrl>+<s> drukt. U krijgt nu de vraag of u dit zeker weet. Klik op [OK].**

Om te voorkomen dat u een originele foto bewerkt die hierdoor voorgoed verloren gaat, bewaart Picasa het origineel op schijf. Dit bestand vindt u terug in de map *Originals* (deze map is ingebed in de map waarin de bewerkte foto wordt opgeslagen). Maar let op: u kunt deze map alleen zien door de optie *Verborgen bestanden* en *mappen weergeven in Windows* in te schakelen.

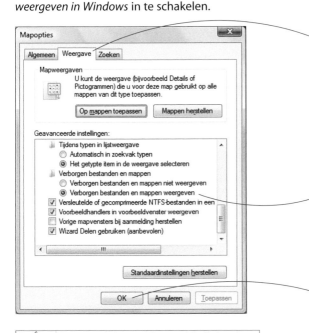

**9 Klik in de Verkenner op [Organiseren] en kies *Map- en zoekopties*. Klik op de tab [Weergave] en schakel de genoemde optie in.**

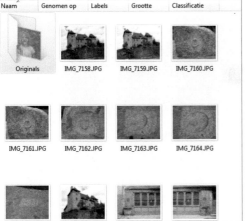

**10 Klik op [OK]. Het resultaat ziet u in het volgende venster.**

*Rechtzetten*
De optie *Rechtzetten* is bijvoorbeeld ideaal voor het aanpassen van de horizon in de foto. Die staat in heel veel gevallen scheef. We gebruiken hier een foto van een huis dat een beetje scheefstaat.

1 **Open de foto 'entraygues. jpg'.**
2 **Klik op [Recht maken].**
3 **Sleep het schuifje**
**━━━━▮━━━━━ naar links om de woning recht te zetten. Gebruik als richtpunt de muur geheel links.**
4 **Klik op [Apply].**
5 **Klik op [Terug naar biblio-theek].**

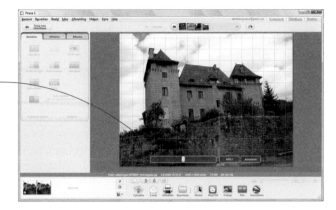

1 **Open de foto 'poesje in boom.jpg'.**
2 **Klik op [Bijsnijden].**
3 **Kies een formaat onder** *Bij-snijden*, **bijvoorbeeld 10x15. Dit formaat bepaalt de verhou-ding van uw uitsnede.**
4 **Klik op een van de drie vak-jes daaronder om te bepalen welk deel van de foto wordt bijgesneden.**
5 **De grootte van het kader kunt u aanpassen door een van de randen naar binnen of naar buiten te slepen. De positie verandert u door in het kader te gaan staan (de aanwijzer verandert in een handje) en te slepen.**

*Bijsnijden*

**6  Klik op [Toepassen] om het kader bij te snijden.**
**7  Klik op [Terug naar bibliotheek].**

*Ik doe een gok*

Met de optie *Ik doe een gok* kunt u in één keer de verdeling van donkere en lichte pixels in een foto verbeteren. De resultaten zijn vaak verbluffend, ook bij foto's die ogenschijnlijk onbruikbaar zijn omdat ze bijvoorbeeld te donker zijn.

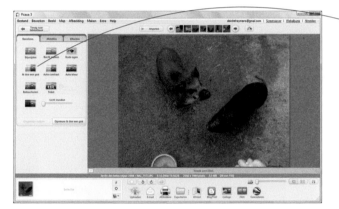

**1  Open de foto 'varkentjes.jpg'.**
**2  Klik op [Ik doe een gok].**

Het nadeel is dat de lichte delen vrijwel helemaal wit worden. Het is in deze foto niet echt storend, maar de vingers kunt u makkelijk wegretoucheren. Zet daartoe stap 3-8.

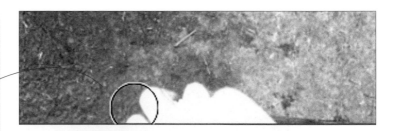

**3 Zoom in op de hand, rechts onderaan.**

**4 Klik op [Retoucheren].**

**5 Druk een paar keer op de plustoets op het toetsenbord om de kwast groter te maken.**

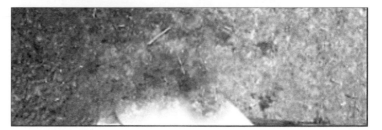

**6 Klik op het voorste deel van de hand. Beweeg nu de aanwijzer wat van de hand af, zodat u op het beton komt te staan. Wacht even om het resultaat te bekijken. Klik vervolgens om het retoucheren te bevestigen. Als u dit een paar keer herhaalt, ziet u dat de hand langzaam oplost.**

**7 Echt makkelijk is het niet, maar de aanhouder wint. Na een tijdje klikken is de hand vrijwel geheel verdwenen. Klik op de knop [Toepassen].**

**8 Krijgt u de vlek niet goed weg dan kunt u eventueel de foto ook bijsnijden om het onderste stukje weg te werken.**

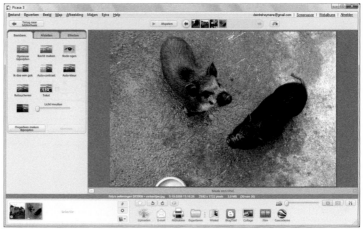

*Over- en onderbelichting*

Donkere foto's leveren een beter resultaat dan lichte foto's, want bij een digitale camera is wit (overbelicht) nu eenmaal echt wit. En als de foto geen informatie bevat, kan die er ook niet bijgemaakt worden. Dat is anders bij onderbelichte foto's, waar in het donker nog veel nuances te vinden zijn die zichtbaar gemaakt kunnen worden met het filter *Ik doe een gok*.

In de foto hierboven hebben we de flits opzettelijk uitgeschakeld. Als uw doel weinig of niet beweegt, zoek dan een plaats zoeken waar u de camera op kunt plaatsen, een tafel, een stoel of een stapeltje boeken, en neem de foto zonder flits te gebruiken.

*Een onderbelichte foto kan vaak enorm verbeterd worden met het filter Ik doe een gok*

### Rode ogen

Picasa heeft een handig en eenvoudig filter om rode ogen te verwijderen. U hoeft zelfs niets te selecteren, het programma herkent de rode ogen zelf.

**1** Open een foto met rode
ogen en klik op [Rode ogen].
**2** Wilt u toch zelf de rode
ogen selecteren, klik dan op
[Wissen] en sleep een kader
rondom het gebied dat u wilt
selecteren.

**3** Bent u ontevreden over het
resultaat, klik dan op [Annule-
ren]. Klik in andere gevallen op
[Toepassen].

*Scherper maken*
U kunt een foto heel makkelijk en snel scherper maken. We hebben
het dan over onscherpte die is ontstaan doordat er te weinig licht is
of de camera minimaal bewogen is.

**1** Open de foto 'poesje in kip-
penhok.jpg' en ga naar het tabblad *Effecten*.
**2** Klik op de eerste knop in het
overzicht: [Scherper maken].

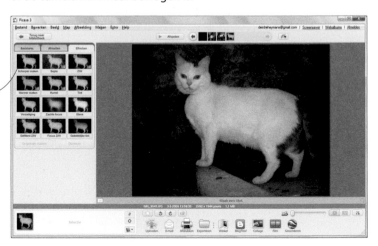

**3** Met het schuifje bij *Hoeveel-heid* kunt u meer (schuif naar rechts) of minder (schuif naar links) verscherpen. Sleep het schuifje enigszins rechts van het midden.

**4** Om beter te kunnen zien wat u doet, kunt u inzoomen op de kop van de poes: houd de muisknop ingedrukt totdat u inzoomt en sleep dan met het handje in de richting van de kop.

**5** Bent u tevreden klik dan op [Toepassen]. Klik eenmaal in het venster om weer uit te zoomen.

**6** Klik op de knop [Terug naar bibliotheek] om terug te gaan naar het overzicht.

!  Zorg dat de foto niet té scherp wordt. In dat geval zult u bijvoorbeeld een witte lijn langs randen in de foto zien lopen en dat maakt het geheel erg lelijk.

*Een reeks bewerkingen uitvoeren*
Sommige foto's zijn op het eerste gezicht niet zo bijzonder en ze krijgen daarom een onopvallende plaats in uw fotoarchief. Maar soms blijkt een foto bij nadere beschouwing kwaliteiten te bezitten die het ineens een bijzonder plaatje maken.

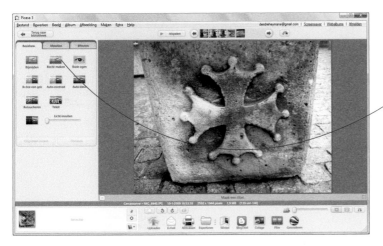

**1** Open de foto 'occitaans kruis.jpg'. Het eerste wat opvalt is dat de foto scheefstaat. U gaat het kruis rechtzetten.

**2** Klik op [Recht maken].

**3** Sleep het schuifje onderaan iets naar links totdat het kruis rechtstaat. Klik op [Apply].

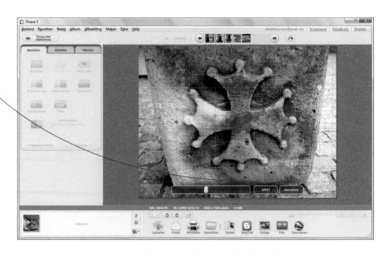

**4** Klik vervolgens op [Bijsnijden]. Kies de optie *Vierkant: Cd-omslag*. Klik op het laatste van de drie vakjes om het kruis precies in het midden van de uitsnede te plaatsen.

**5** Snijd de foto bij totdat de randen van de bloembak niet meer zichtbaar zijn.

**6** Klik op [Toepassen] en kies daarna de tab *Afstellen*. Sleep het schuifje bij *Accenten* en *Schaduwen* iets naar rechts.

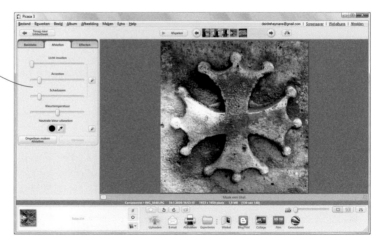

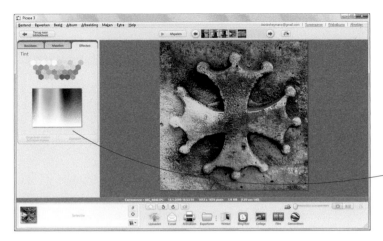

7 Kies de tab *Effecten* en klik op [Scherper maken]. Sleep het schuifje iets naar rechts. Wees er wel voorzichtig mee, dus kijk steeds naar het eindresultaat. Klik op de knop [Toepassen].
8 Klik op [Tint]. Klik op het vakje [Kleuren kiezen] en kies een lichtgele tint.

De foto heeft nu een koperkleurige tint gekregen, waardoor deze ouder lijkt. Met het schuifje bovenaan kunt u desgewenst wat meer van de oorspronkelijke kleuren terugbrengen. De kopertint zal dan alleen in de lichte delen zichtbaar zijn.

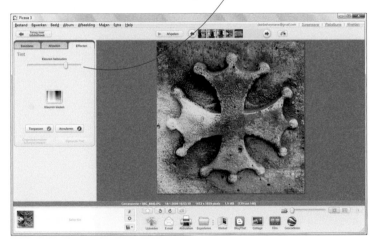

9 Klik op [Toepassen] en daarna op [Terug naar bibliotheek].

## 6.4 Adobe Photoshop Elements

Photoshop Elements is de vereenvoudigde versie van het door professionele ontwerpers sinds jaar en dag geprezen programma Photoshop. Photoshop Elements 7 is de laatste versie, beschikbaar voor Windows en Mac. U kunt een proefversie downloaden via www.adobe.nl – zoek bij *Downloads*.
Na het starten van Photoshop Elements krijgt u het welkomstvenster te zien. Vanuit dit venster heeft u vier opties:
- *Organiseren*: het organiseren en archiveren van uw foto's;
- *Bewerken*: het bewerken en wijzigen van uw foto's;
- *Maken*: het maken van collages, afdrukken, ansichtkaarten, enzovoort;
- *Delen*: het mailen van uw foto's, een webalbum maken, afdrukken, op cd/dvd branden, enzovoort.

Als u een van deze vier opties kiest, kunt u steeds eenvoudig naar een andere keuze overschakelen met de tabs rechts bovenaan. Eerder hebben we laten zien hoe u Picasa kunt gebruiken om uw bestanden te ordenen, maar u kunt het ook allemaal regelen vanuit Photoshop Elements. Het is echter niet noodzakelijk om de organizer te gebruiken. U kunt gerust Picasa gebruiken om uw foto's te beheren en eenvoudige bewerkingen uit te voeren, terwijl u Photoshop Elements reserveert voor de complexe bewerkingen. Wilt u meteen verder met het bewerken van uw foto's, sla §6.4a dan over.

### 6.4a   Foto's ordenen

1 **Kies de tab** *Organiseren* **om de Organizer van Photoshop Elements te starten.**
2 **Met de tabs rechts kunt u op ieder moment naar een van de andere onderdelen overschakelen:** *Repareren* **(***Bewerken***),** *Maken* **en** *Delen***.**
3 **Vanuit het venster** *Organiseren* **kunt u alle foto's op uw computer bekijken. Wel moet u het programma eerst laten weten welke mappen op uw harde schijf zichtbaar moeten worden.**

**4 Kies onder** *Bestand* **voor** *Foto's en video's ophalen* **en** *Door te zoeken.*

**5 Kies achter** *Zoeken in:* **voor** *Bladeren...*

**6 Selecteer de map die u wilt scannen, bij voorkeur** *Afbeeldingen*, **omdat de meeste programma's foto's daar opslaan. Klik op [OK].**

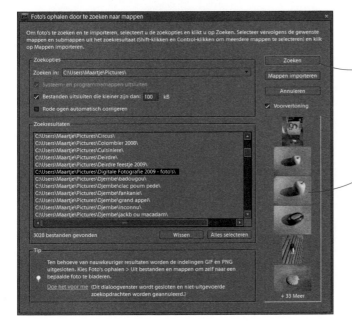

**7 Klik op [Zoeken]. Nu wordt deze hele map gescand op foto's. U kunt eventueel meer mappen scannen op de hiervoor beschreven manier.**

**8 Om te zien welke foto's in een bepaalde map zitten, klikt u op de map. De foto's worden rechts in het venster getoond.**

**9** Om mappen uit dit overzicht te verwijderen, selecteert u ze (gebruik de <Ctrl>-toets om meerdere mappen te selecteren) en klikt u op [Wissen].

**10** Klik op [Alles selecteren] en daarna op [Mappen importeren]. Nu moet u even wachten, want de foto's worden opgezocht.

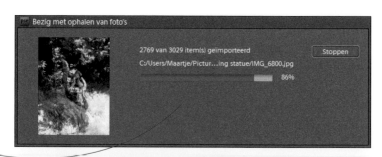

**11** Klik in het volgende venster op [OK]. Daarna krijgt u de melding dat er automatisch trefwoorden zijn aangemaakt. Hiermee kunt u de foto's makkelijker terugvinden. Wilt u de voorgestelde trefwoorden accepteren, klik dan op [Alles selecteren] en vervolgens op [OK].

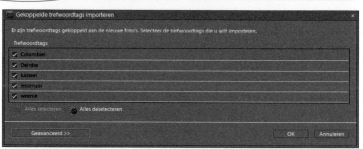

**12** Het kan zijn dat u een melding krijgt dat sommige foto's niet geïmporteerd zijn. Eventueel kunt u de reden hiervan aflezen onder *Reden*. Klik daarna op [OK] om verder te gaan.

**13** In het volgende venster krijgt u de melding dat u op [Alles tonen] moet klikken om alle foto's te kunnen zien. Klik op [OK] en dan op [Alles tonen] boven in het venster.

✱ Als u na het importeren de melding *Herinnering reservekopie* krijgt, kunt u ervoor kiezen reservekopieën te maken. Houd er rekening mee dat dit tijd en ruimte kost. Wilt u dit niet, geef dan aan dat u dit venster niet meer wilt zien door de optie *Niet opnieuw weergeven* in te schakelen.

**Herinnering reservekopie**

Gezien het aantal nieuwe of gewijzigde foto's is het verstandig een reservekopie te maken van uw catalogus en bestanden. U kunt een reservekopie maken van alle bestanden of van alleen de bestanden die zijn toegevoegd of gewijzigd sinds de laatste reservekopie.

☑ Niet opnieuw weergeven

[ Reservekopiecatalogus ]   [ Annuleren ]

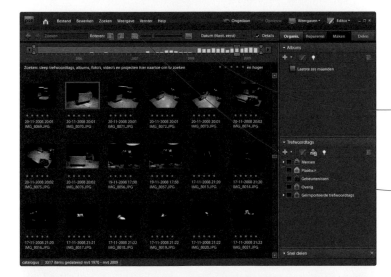

**14** In Photoshop Elements worden foto's standaard weergegeven op volgorde van datum. Kijk naar de tijdlijn bovenaan in het venster. Klik op een plaats in de tijdlijn om door uw fotoarchief te bladeren.

**15** Ziet u liever de mapweergave, klik dan op [Weergave] en kies *Maplocatie*.

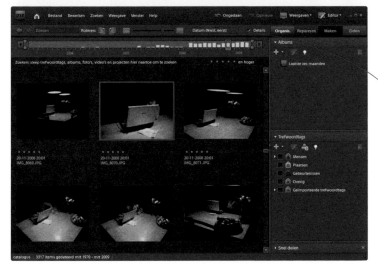

**16** We hebben in dit voorbeeld de miniatuurweergave ingeschakeld. Om een foto te vergroten, dubbelklikt u erop.

**17** Met het schuifje [▦▬▬▬▬▦] kunt u in- en uitzoomen. Naarmate u het schuifje verder naar links sleept, worden de afbeeldingen kleiner en kunt u er meer gelijktijdig bekijken.

### 6.4b   Foto's bewerken

Waar het in dit geval natuurlijk echt om gaat, zijn de uitgebreide mogelijkheden die Photoshop Elements heeft voor het bewerken van foto's. U kunt op diverse niveaus aan de slag: heel basaal met een aantal veelgebruikte functies, behoorlijk uitgebreid met veel tips en hulp of in de volledige bewerkingsmodus, waarin u alle mogelijkheden van het programma gebruikt. In de rest van dit hoofdstuk zullen we aan zo veel mogelijk facetten van het programma aandacht besteden.

1 Kies **Weergaven** en daarna **Maplocatie**.

2 **Open de map met de oefenbestanden en vergroot een foto door erop te dubbelklikken.**

3 **Om de foto te bewerken, kiest u** *Repareren*.

4 **In eerste instantie krijgt u een beperkt aantal bewerkingsopties. Deze mogelijkheden ziet u rechts in het venster, zoals** *Niveaus bepalen, Rode ogen automatisch corrigeren* **en** *Uitsnijden*.

5 **Een onmisbaar gereedschap is** *Niveaus bepalen*, **waarmee u in één simpele handeling de verdeling van donkere en lichte pixels in een foto kunt verbeteren. Bent u niet tevreden dan is er niets aan de hand: druk gewoon op <Ctrl>+<z> om de laatste handeling ongedaan te maken.**

6 **Om alle mogelijkheden te gebruiken, klikt u op de knop [Volledig bewerken] rechts onderaan. Nu wordt de foto in de Editor geopend. Deze is als een apart programma zichtbaar in de taakbalk.**

7 **Sluit de Editor en de Organizer.**

> ✳ Om te schakelen tussen Miniatuurweergave en Maplocatie kunt u ook de sneltoetsen <Ctrl>+<Alt>+<1> en <Ctrl>+<Alt>+<3> gebruiken.

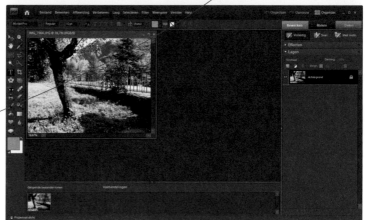

### Een aantal basishandelingen

Zoals we eerder stelden, is het niet noodzakelijk foto's vanuit de Organizer te openen. U kunt ook direct de bewerkingsmodus openen.

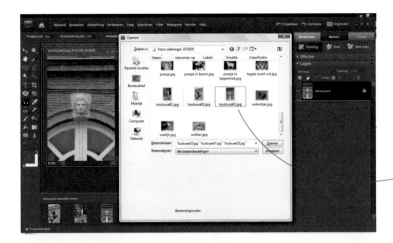

1 **Start Photoshop Elements** en kies in het welkomstvenster de tab *Bewerken*. **Nu wordt de Editor gestart.**

2 **Kies** *Bestand, Openen* **en open de map met de oefenbestanden.**

3 **Klik met ingedrukte <Ctrl>-toets op de bestanden 'Toulouse01.jpg' tot en met 'Toulouse03.jpg'. Klik op [Openen].**

4 **Nu u meerdere foto's heeft geopend, ziet u de miniatuurweergave onderaan in het venster. Door op zo'n miniatuur te dubbelklikken haalt u de betreffende foto naar de voorgrond.**

5 **U kunt de foto's ook allemaal tegelijk zichtbaar maken. Sleep ze dan gewoon van elkaar af, zodat ze naast elkaar komen te staan.**

6 **Inzoomen doet u met <Ctrl>+plusteken.**

7 **U kunt u ook de knop [Zoomen] ( 🔍 ) gebruiken. Sleep dan een kader rondom het gebied waarop u wilt inzoomen.**

8 **Als u ver ingezoomd bent, kunt u op de knop met het handje klikken en het beeld daarna verschuiven. Als er op dat moment een ander gereedschap actief is, kunt u de spatiebalk indrukken om tijdelijk over te schakelen naar het handje.**

❋ Met <Ctrl>+<F6> kunt u tussen de bestanden schakelen.

9 **Om uit te zoomen gebruikt u de sneltoets <Ctrl>+minteken. U kunt ook in een keer uitzoomen naar een formaat waarbij de foto in het venster past. Doe dit met de sneltoets <Ctrl>+<0> of door te dubbelklikken op het handje.**

10 **Kies** *Bestand* **en** *Alles sluiten***.**

*Twee foto's combineren*

In de volgende stappen gaat u twee foto's met elkaar combineren. De ene foto wordt gebruikt voor de achtergrond, de andere voor de voorgrond.

**Stap 1**  *Een selectie kopiëren*

**1 Zorg dat de Editor gestart is, kies** *Bestand* **en** *Openen***. Open de foto's 'boom.jpg' en 'lelie van dalen.jpg'.**
**2 Rangschik de foto's zodanig dat u ze allebei ziet.**
**3 Ga naar het lelietje van dalen en dubbelklik op het handje.**

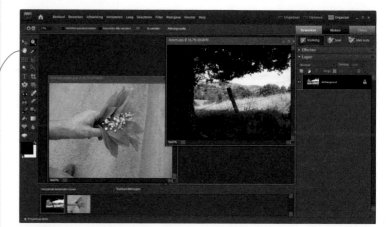

U gaat de hand met het lelietje van dalen uitknippen. Er zijn twee gereedschappen om dit heel makkelijk te doen: de [Toverstaf] ( ) en de [Snelle selectie] ( ). Omdat het contrast tussen de voorgrond (de hand met het bosje bloemen) en de achtergrond groot is en de achtergrond vrij egaal van kleur is, voldoet [Snelle selectie] hier. Als u daarmee in het gebied sleept dat u wilt selecteren, zal Photoshop Elements automatisch zoeken naar het dichtstbijzijnde gebied met een hoog contrast en daar een selectielijn plaatsen.

**4 Klik op [Snelle selectie]( ), plaats de aanwijzer in het midden van de hand en sleep een paar millimeter naar rechts. Doe dit heel voorzichtig, totdat de hele hand geselecteerd is.**
**5 Sleep nu vanaf de punten van de bladeren naar het midden toe en selecteer op deze manier ook het hele bosje bloemen.**
**6 Draai de selectie om via** *Selecteren, Selectie omkeren***.**

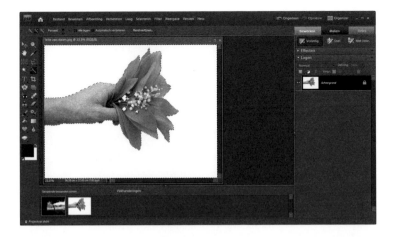

7 Druk op de <Del> om de selectie te verwijderen. Het resultaat wordt nu goed zicht-baar.

8 Kies opnieuw *Selecteren*, *Selectie omkeren*. Nu zijn weer de hand en het bosje bloemen geselecteerd.

9 Kies *Bewerken*, *Kopiëren*.

10 Kies *Bestand*, *Sluiten* en geef aan dat u de wijzigingen niet wilt bewaren. U komt nu automatisch terecht in de foto met de boom.

11 Kies *Bewerken*, *Plakken*.

## Stap 2 *Lagen bewerken*

Merk op dat in het deelvenster *Lagen* (rechts in het venster) twee lagen zichtbaar zijn: de basislaag met de boom (*Achtergrond*) en de laag met de hand (*Laag 1*). *Laag 1* is op dit moment geselecteerd. U gaat de hand met het bosje bloemen nu een kwartslag draaien.

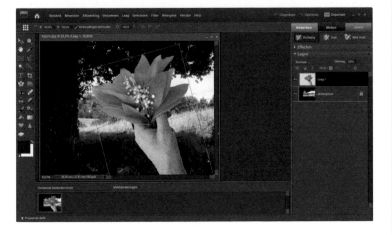

1 Klik op [Verplaatsen] ( ). Rondom de hand ver-schijnt een stippellijn, met blokjes op de hoeken.

2 Plaats de aanwijzer een paar millimeter buiten zo'n blokje en merk op dat de aanwijzer in een krom pijltje verandert.

3 Druk de <Shift>-toets in en draai de hand naar links door rondom te slepen. Laat eerst de muisknop en daarna de <Shift>-toets los.

4 Sleep de hand iets naar beneden en naar rechts, zoals in het voorbeeld.

**5** Druk op <Enter> om de wijzigingen vast te leggen.

**6** Klik op de laag [Achtergrond] in het deelvenster *Lagen*. Nu is deze laag geselecteerd.

**7** Kies *Filter, Vervagen, Gaussiaans vervagen*.

**8** Door het schuifje bij *Straal* te verslepen, maakt u de foto meer (schuif naar rechts) of minder wazig (schuif naar links). U kunt dit rustig uitproberen, het resultaat zal steeds in de foto getoond worden.

**9** Stel *Straal* uiteindelijk in op 20.

**10** Klik op [ok].

**1** Klik op [Laag 1] in het deelvenster *Lagen*.

**2** Houd de <Ctrl>-toets ingedrukt en klik op het laagicoon. Nu wordt automatisch een selectie gemaakt van de hand met het bosje bloemen.

**3** Kies *Selecteren* en daarna *Doezelaar*. Vul bij *Doezelstraal* 5 (pixels) in en klik op [ok].

**4** Draai de selectie om met *Selecteren, Selectie omkeren*.

**5** Druk nu op <Del> om de rand rondom de hand en de bloemen weg te halen. U zult zien dat de overgang van de hand naar de achtergrond minder hard is.

**6** Bewaar het bestand en sluit het.

**Stap 3** *De compositie voltooien*

U kunt de compositie zo laten, als de randen rondom de hand nog wat worden verzacht, is het resultaat nog mooier.

## Verscherpen

In de volgende stappen laten we u zien hoe u een wazige foto scherper kunt maken. De foto die u in de oefening gebruikt, is uit de losse hand genomen in een donkere kerk. Wordt er geen statief of stabiele ondergrond gebruikt dan is bewegingsonscherpte onvermijdelijk, en dat is jammer. Maar zo'n foto kan enorm verbeterd worden met het filter *Onscherp masker*.

**Stap 1** *Het filter 'Onscherp masker'*

## Oplichten

Het contrast in deze foto is groot: de lichte delen vangen veel licht en de donkere delen zijn erg donker. Door bepaalde lichte delen nog lichter te maken, kunt u de suggestie wekken dat de foto scherp is.

1 **Open de foto 'pelgrim.jpg'** en kies *Verbeteren, Onscherp masker*.
2 **Als u wijzigingen aanbrengt** bij *Hoeveelheid* of *Straal* dan ziet u het resultaat direct in de foto. Door in het venster *Onscherp masker* op een bepaald deel in te zoomen, kunt u goed zien wat het effect is.
3 **Zet** *Hoeveelheid* **op 180%** en de *Straal* op 9 pixels. De drempel hoeft u niet aan te passen.
4 **Wilt u tussendoor even de** oorspronkelijke foto zien, klik dan in het voorbeeldvenster van *Onscherp masker* en houd de muisknop ingedrukt. Zolang u dit doet, ziet u de onbewerkte foto, laat u de muisknop los dan verschijnt de foto met de huidige instellingen.
5 **Klik op [ok].**

1 **Zoom in op het gezicht.**
2 **Klik op de knop met de** spons. Houd deze knop ingedrukt totdat een drietal opties wordt getoond.
3 **Klik op de knop [Tegenhouden]** ( ![knop] ). Met dit gereedschap kunt u stukjes in een foto lichter kleuren.
4 **Boven in het venster ziet** u de kwastdikte. U kunt deze op ieder moment veranderen. Voor deze oefening is de beste kwastdikte ongeveer 40 pixels. Wijzig deze kwastdikte door in het vakje 'Afm' de gewenste waarde in te typen.

**5** Sleep nu met het kwastje over gebieden die u lichter wilt maken, zoals de oogleden, de neusbrug, de onderlip, enzovoort. Wees voorzichtig met wat u doet en laat u leiden door de foto waarin de lichte gebieden al zichtbaar zijn.

**6** Gaat het niet goed dan is er niets aan de hand. Druk gewoon op <Ctrl>+<z> om de laatste bewerking(en) ongedaan te maken en begin opnieuw.

**7** Op deze manier kunt u de foto extra lichtaccenten geven zodat hij scherper lijkt.

**8** Bewaar de foto en sluit hem.

*Donkere foto's lichter maken*

**Histogram**
Een histogram is de vertaalslag van de kleuren in een foto naar een grafiek. Het kleurenbeeld wordt vertaald in stappen van 256 tinten, van geheel zwart naar absoluut wit. Dat ziet u op de horizontale as van de grafiek. Links bevinden zich de donkere partijen, rechts de lichte partijen. Op de verticale as vindt u de intensiteit van de betreffende helderheid uit de opname. Komt deze helderheidsintensiteit veel voor in de opname dan ziet u een sterke piek in het histogram. Als de tint niet zo sterk is, zal het histogram voor die tint nauwelijks boven de horizontale as uitkomen. In een histogram kunt u bijvoorbeeld heel goed over- en onderbelichting herkennen. Het histogram van een overbelichte foto wordt aan de rechterkant afgekapt. Dat van een onderbelichte foto wordt tegen de linker verticale as gedrukt.
Om het histogram van een foto aan te passen wordt in Photoshop Elements het filter *Niveaus* (*Levels*) gebruikt. Ook in Picasa en op de meeste camera's kunt u het histogram van een foto bekijken en (indien gewenst) aanpassen.

Om donkere foto's lichter te maken, heeft u een aantal eenvoudige gereedschappen tot uw beschikking. Heel makkelijk is het volgende:

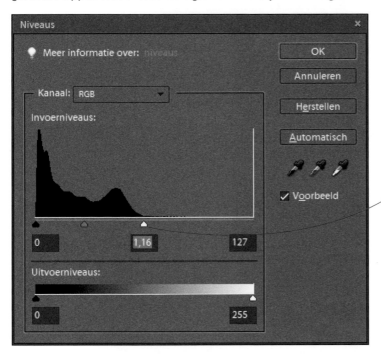

1 **Open het bestand 'poesje in mandje.jpg'.**
2 **Klik in het menu *Lagen* op [Aanpassingslaag maken] (▨) en kies daarna *Niveaus*.**
3 **U ziet nu het histogram van de foto. Sleep het witte driehoekje naar links, tot aan het begin van de berg.**

**4** Klik op [ok] en bekijk op de foto het effect hiervan. Het middelste schuifje kunt u iets naar links schuiven.

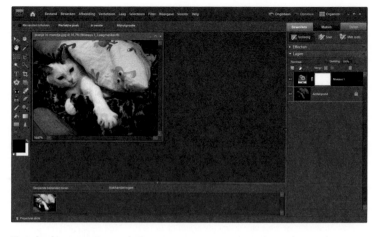

Het deelvenster *Lagen* is interessant om even nader te bestuderen. U ziet hier twee lagen: de laag *Achtergrond* bevat de oorspronkelijke foto en de laag *Niveaus 1* bevat de aanpassingslaag die de afbeelding wijzigt. Het voordeel van deze extra laag is dat de oorspronkelijke foto onaangetast blijft.

**5** Klik op het oogje voor *Niveaus 1* en kijk naar het resultaat in de foto. Schakel het oogje weer in.

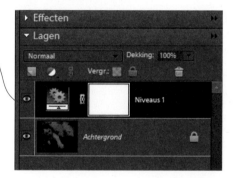

Nog een handige functie van aanpassingslagen is dat u op ieder moment kunt besluiten de instellingen te wijzigen. Er is dus geen risico dat u op een originele afbeelding bewerkingen uitvoert.

**6** Dubbelklik op het laagmi-niatuur van *Niveaus 1*, zodat het venster *Niveaus* weer ver-schijnt.
**7** Kies achter *Kanaal* de optie *Rood*. Het rode kanaal wordt nu bewerkt. Sleep het grijze schuifje iets naar rechts, zodat het rood wat afgezwakt wordt.
**8** Klik op [ok], bewaar het eind-resultaat met een toepasselijke naam en sluit het bestand.

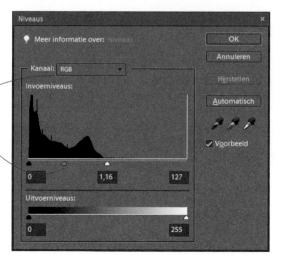

*Uitsnijden en slim penseel*
In de volgende stappen gaat u een foto bijsnijden en vervolgens lokaal kleuren veranderen met het gereedschap [Slim penseel]. Open daartoe eerst het bestand 'toulouse02.jpg'.

**Stap 1** *Bijsnijden*

1 Klik op [Uitsnijden] ( ▣ ).
2 Kies bij *Verhouding* (links bovenaan) voor *Fotoverhoudingen behouden*.
3 Klik weer op [Uitsnijden] en sleep een kader rondom de rozen, zoals in het voorbeeld.
4 Druk op <Enter> om de uitsnede te bevestigen.

**Stap 2** *Blaadjes groener maken*

1 Klik op de knop [Slim penseel].
2 Stel de grootte van het penseel in op 30 pixels.
3 Klik geheel rechts op het fotootje 'Al wat groen is'.

**4** Plaats de aanwijzer op het bovenste blaadje en sleep er voorzichtig over.

**5** Als u de muisknop loslaat, ziet u dat het blaadje is geselecteerd en dat de kleur en de helderheid iets veranderd zijn.

**6** Er verschijnt ook een zwart blokje met rode randjes ( 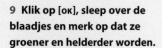 ). Dubbelklik hierop.

**7** Sleep het schuifje bij *Kleurtoon* naar ongeveer 10.

**8** Sleep het schuifje bij *Verzadiging* naar ongeveer 30.

**9** Klik op [OK], sleep over de blaadjes en merk op dat ze groener en helderder worden.

**10** Als u het effect te extreem vindt, kunt u op het knopje  dubbelklikken en de verzadiging iets afzwakken.

**11** Hef de selectie op door op <Ctrl>+<d> te drukken.

**12** Bewaar het eindresultaat met een toepasselijke naam.

## Transformeren

Het zal weleens gebeuren dat u objecten wilt transformeren, bijvoorbeeld door ze te verkleinen of te draaien. In de volgende stappen laten we zien hoe u de vertekening in het perspectief van een houten pilaar ongedaan kunt maken.

### Stap 1 *De achtergrond omzetten naar een laag*

### Stap 2 *De pilaar vervormen*

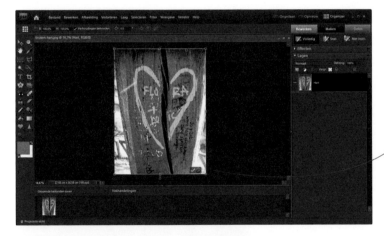

1 **Open de foto 'gebroken hart.jpg'. Er is in deze foto een vertekening van boven naar beneden, omdat de foto van bovenaf genomen is. Dit kunt u rechttrekken met het gereedschap** *Vervormen*. **Voor u dat kunt doen, moet u er een aparte laag van maken. De achtergrondlaag is namelijk vergrendeld.**

2 **Dubbelklik op de naam van de laag** *Achtergrond* **in het deelvenster** *Lagen*.

3 **Geef de laag een naam, bijvoorbeeld 'Hart' en klik op [ok].**

1 **Maximaliseer het venster met de foto door op het maximalisatieknopje te klikken (rechts bovenaan).**

2 **Kies** *Afbeelding, Transformeren* **en** *Vervormen*.

3 **Rondom de foto verschijnen blokjes. Plaats de aanwijzer op het blokje rechts onderaan.**

4 **Sleep het blokje naar rechts, zoals in het voorbeeld.**

**5** Plaats nu de aanwijzer op het blokje linksonder en sleep dit naar links, zoals in het voorbeeld.

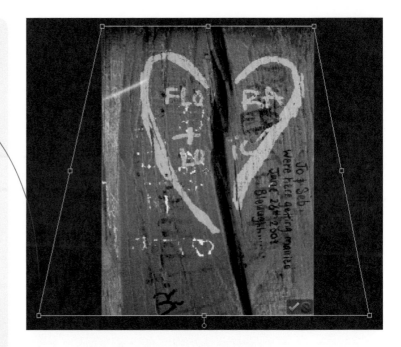

De houten pilaar is nu beeldvullend, maar doordat u de zijkanten heeft uitgerekt, is deze in de lengte wat in elkaar gedrukt. Om dit op te lossen, moet de pilaar weer wat uitgerekt worden.

**6** Plaats de aanwijzer op het blokje middenonder en sleep het naar beneden tot het hart weer z'n oorspronkelijke proporties heeft. Let wel op dat de zwarte tekst in beeld blijft.
**7** Staat het beeld goed, druk dan op <Enter> om de transformatie te bevestigen.

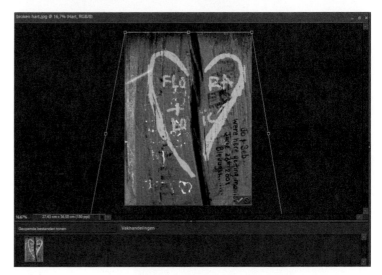

⚠ Zodra u op <Enter> heeft gedrukt, worden de beeldpixels opnieuw gerangschikt en herberekend. Dit levert een minimaal kwaliteitsverlies op. Het is af te raden objecten herhaaldelijk te transformeren, omdat dit uiteindelijk een zichtbaar kwaliteitsverlies geeft. Dus wilt u opnieuw beginnen, maak de vorige transformatie dan eerst ongedaan.

**Stap 3** *Niveaus bewerken met een aanpassingslaag*

**1** Klik op het knopje [Aanpassingslaag maken] ( ) in het deelvenster *Lagen* en kies dan *Niveaus*.

**2** Sleep het zwarte driehoekje bij *Invoerniveaus* naar rechts, tot het aan het begin van het histogram staat. Sleep het witte driehoekje iets naar links, tot het aan de voet van de berg in het histogram staat. De foto wordt nu beter. Dit kunt u zien als u kijkt naar de foto op de achtergrond.
**3** Klik op [ok].

**4** In het deelvenster *Lagen* ziet u twee lagen: de eerste laag is de aanpassingslaag die u zojuist gemaakt heeft, de tweede bevat de oorspronkelijke foto. Klik op het oogje voor de aanpassingslaag *Niveaus 1* en bekijk het verschil nu de laag is uitgeschakeld. Klik nogmaals op het oogje om de laag weer in te schakelen.

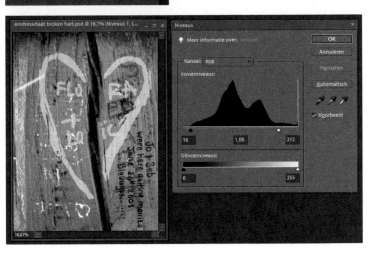

**Stap 4** *Kleuren aanpassen*

Het hout waarop het hart en de teksten geschreven zijn, is eigenlijk iets te rood. U kunt dit eenvoudig aanpassen via *Kleurtoon/verzadiging*.

1 Klik in het deelvenster *Lagen* weer op [Aanpassingslaag maken] ( ) en kies in het menu *Kleurtoon/verzadiging*.

2 Kies bij *Bewerken* voor *Rode tinten*, zodat alleen de rode tinten worden geselecteerd.

3 Sleep het schuifje bij *Verzadiging* naar links om de verzadiging te verminderen. Wilt u de kleur veranderen, bijvoorbeeld wat meer geel dan rood, sleep dan het schuifje bij *Kleurtoon* naar rechts.

4 Als u ook de kleur van het hart wilt veranderen, kies dan bij *Bewerken* voor *Groene tinten* en maak enkele aanpassingen.

5 Klik op [OK].

6 Ook nu kunt u het verschil bekijken door het oogje voor de laag *Kleurtoon/verzadiging* in- en uit te schakelen.

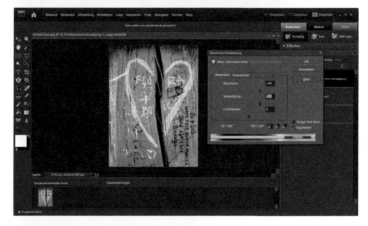

7 Bewaar het eindresultaat met een toepasselijke naam.

*Uitsnijden*
Een uitsnede kan een foto totaal veranderen, want welke delen blijven zichtbaar en welke niet? Het is niet altijd makkelijk de optimale compositie te bepalen: het is een kwestie van kijken, kijken en nog eens kijken. Als voorbeeld nemen we een stadsfoto. Door storende elementen in de omgeving komen de mensen op de bank niet goed uit de verf. Wat is daaraan te doen?

1 Open de foto 'mensen op bank.jpg'.
2 Klik op de knop [Rechthoekig selectiekader] (▦) en sleep een kader rondom de mensen op de bank, zoals in het voorbeeld (kijk naar de zwarte rand).

3 Kies *Afbeelding* en *Uitsnijden*.

U kunt dit ook doen met het gereedschap [Uitsnijden] (▣). Het handige daarvan is, dat u de grootte van het kader kunt aanpassen terwijl u de uitsnede maakt.

*De hele foto omzetten naar grijswaarden*
We gaan deze foto omzetten naar zwart-wit. Zwart-witfoto's zijn vaak sfeervoller, omdat ze meer aan de fantasie overlaten. U kunt een foto helemaal of deels omzetten naar zwart-wit.

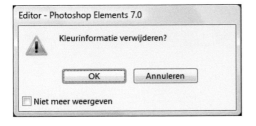

1 Kies *Afbeelding*, *Modus* en *Grijswaarden* om de foto in een keer om te zetten naar zwart-wit.
2 Klik op [ok] om de kleurinformatie uit de foto te verwijderen.

De foto is nu omgezet naar grijswaarden. Een van de voordelen hiervan is dat hij veel minder ruimte inneemt, maar de foto krijgt ook meer zeggingskracht. En dat is natuurlijk het belangrijkst.

**3 Bewaar de foto onder een andere naam.**

*Een deel van de foto omzetten naar grijswaarden*
Heel mooi is het om een zwart-witfoto te combineren met kleur – u legt het accent dan heel duidelijk op één of enkele elementen. De werkwijze is iets anders.

**1 Druk op <Ctrl>+<z> om de omzetting naar grijswaarden uit de vorige oefening ongedaan te maken.**
**2 Klik op het gereedschap [Snelle selectie] ( ) en sleep voorzichtig over de blauwe paal tot deze helemaal geselecteerd is. Doe dit ook met de oranje paal.**
**3 Kies *Selecteren, Selectie omkeren*.**
**4 Kies *Verbeteren, Omzetten in zwart-wit*.**
**5 Bekijk het effect van de stijlen in het overzicht *Selecteer een stijl*.**
**6 Kies uiteindelijk *Portretfoto's*. Bekijk het resultaat.**
**7 Klik op [ok] en druk op <Ctrl>+<d> om de selectie op te heffen.**
**8 Bewaar de foto met een toepasselijke naam.**

## Retoucheren

Retoucheren is een werkwijze die wordt gebruikt om onderdelen van een foto te veranderen. Zo kunt u stukjes wegpoetsen, oplichten, vervagen en als u er heel behendig in bent, kunt u zelfs personen of dingen uit de foto verwijderen. In deze oefening laten we u wat trucjes zien.

**1** Open de foto 'wolken.jpg'. Rechts in de foto is een stukje van een boom te zien. Dit kunt u makkelijk wegpoetsen met het gereedschap [Kloonstempel] (▧).

**2** Klik op de [Kloonstempel], maak de kwast flink wat dikker, bijvoorbeeld **100** pixels.

**3** Plaats de aanwijzer op een stukje wolk dat u klonen wilt. Houd de <Alt>-toets ingedrukt en klik.

**4** Ga naar de boom rechts in het beeld. Druk de muisknop in en sleep over de takken. Als het resultaat u niet bevalt, druk dan op <Ctrl>+<z>, geef een ander deel aan met ingedrukte <Alt>-toets en probeer het opnieuw, net zolang tot het resultaat goed is.

**5** Om een mooie, egale menging van pixels te krijgen, kunt u het gereedschap [Snel retoucheerpenseel] (▨) gebruiken. Klik op deze knop en stel de kwast groot in, bijvoorbeeld **85** pixels.

**6** Sleep in langzame, draaiende bewegingen over de wolkjes. Het eindresultaat zal er wat natuurlijker uitzien.

**7** Bewaar de foto onder een toepasselijke naam.

*Plakken in een selectie*
Soms heeft u een mooie foto met een saaie lucht. In een handom-
draai kunt u de lucht een veel mooiere kleur geven.

1 **Open de foto 'kasteel.jpg'.**
2 **Klik op het gereedschap
[Toverstaf] (■).**
3 **Stel de *Verdraagzaamheid*
bovenaan in het venster In
op ongeveer 30 en schakel de
optie *Aangrenzend* uit.**
4 **Klik nu in het blauwste
blauw van de lucht (helemaal
rechts). Een deel van de lucht
wordt geselecteerd.**
5 **Kies *Selecteren*, *Toename*.
Herhaal dit een paar keer tot
de hele lucht is geselecteerd.
Let op dat u alleen delen selecteert uit de lucht, en niet per
ongeluk een deel van bijvoorbeeld de hibiscusstruik met de
blauwe bloemen.**
6 **Heeft u toch te veel geselecteerd, klik dan op het gereedschap [Rechthoekig selec-
tiekader] (■) en sleep met
ingedrukte <Alt>-toets een
rechthoekig kader rondom de
verkeerde selectie. Deze wordt
dan verwijderd.**
7 **Klik op [Verloop] (□) en kies
*Bewerken* (boven in het venster).**
8 **Kies het verloop van zwart
naar wit.**
9 **Dubbelklik op de kleurstop
voor zwart (het zwarte blokje
met daarop een driehoekje).**
10 **Plaats de aanwijzer in een
blauw stukje van de lucht en
kies een mooi helder blauw. De
kleur moet heel licht zijn.**

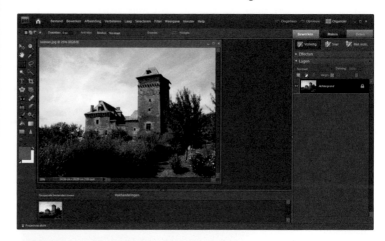

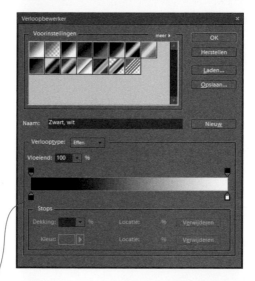

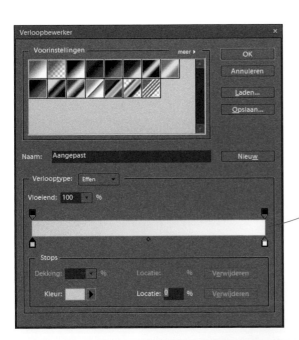

**11** Klik op [ok]. U ziet nu een mooi verloop in het venster, van heel lichtblauw naar wit.

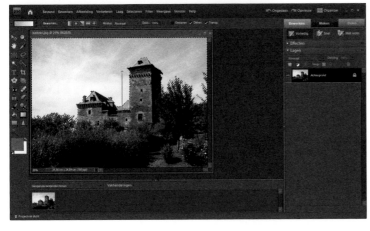

**12** Klik nogmaals op [ok] om ook dit venster te sluiten.
**13** Plaats de aanwijzer in het midden van de lucht. Druk de muisknop in en sleep naar beneden tot u met de aanwijzer in de bosjes staat.

**14** Laat nu de muisknop los. Het resultaat is een mooie, egaal blauwe lucht.
**15** Bewaar het eindresultaat onder een toepasselijke naam.

*Toveren met lagen*

Nog mooier is het om de lucht te verlevendigen met een aantal wolken. Dat doen we in een viertal stappen.

**Stap 1** *Foto's samenvoegen*

**1 Open de foto's 'kasteel.jpg' en 'wolken.jpg'.**
**2 Onderaan ziet u de miniaturen van beide foto's. Dubbelklik op de miniatuur van de wolken om deze naar de voorgrond te halen.**
**3 Klik op [Verplaatsen] (image).**

**4 Klik in het venster met de wolken, druk de muisknop in en sleep de wolken naar de miniatuur van het kasteel (onder in het venster). Laat vervolgens de muisknop los. De wolken staan nu in de foto van het kasteel.**
**5 Dubbelklik weer op de miniatuur van de foto met de wolken en sluit dit venster. Eventuele wijzigingen hoeft u niet te bewaren.**

**Stap 2** *Transformeren*

De foto met de wolken is kleiner dan de foto met het kasteel, althans zo lijkt het. Maar Photoshop Elements maakt er een 'slim object' van. Het vergroten van foto's levert vaak een zichtbaar kwaliteitsverlies op, maar bij slimme objecten niet.

**1 Klik zonodig op [Verplaatsen] en selecteer de wolken.**
**2 Druk op <Ctrl>+<t>. De grootte van de foto gaat u veranderen met de balk boven in het venster. Hier ziet u links B(reedte) en H(oogte). Als u een van beide wijzigt, zal de ander verhoudingsgewijs mee veranderen.**

U heeft nu een basisdocument waarop u kunt terugvallen als er iets misgaat.

## Stap 3 *Een andere wolkenlucht*

U gaat nu een laagmasker maken om de lucht bij het kasteel te vervangen door een andere wolkenlucht. Hiervoor maakt u eerst een selectie van de lucht en vervolgens gebruikt u het laagmasker om de lucht erin te plaatsen (stap 1-9).

3 Sleep over de waarde bij *Breedte*, typ er 130 in en druk op <Enter>.

4 Versleep de wolkenlucht eventueel, zodat deze beeldvullend wordt. Zorg ervoor dat de boomtakken rechts in de foto niet meer zichtbaar zijn.

5 Druk op <Enter> om de transformatie te bevestigen.

6 Bewaar dit document met een toepasselijke naam. Zorg ervoor dat in het venster *Indeling* de optie *Photoshop* is geselecteerd en klik op de knop [Opslaan].

1 Kijk in het deelvenster *Lagen*. U ziet twee lagen: de laag *Achtergrond* met het kasteel en de laag *Laag 1* met de wolken. Omdat de wolken op de voorgrond staan, ziet u de foto met het kasteel niet, maar klikt u op het oogje voor *Laag 1* dan verschijnt het kasteel. Door het oogje in- of uit te schakelen maakt u de laag dus zichtbaar of onzichtbaar.

2 Zorg dat de laag met de wolken onzichtbaar is en schakel over naar de laag *Achtergrond* door erop te klikken.

3 Klik op de [Toverstaf] (🔆) en selecteer de lucht zoals in de vorige oefening, dus zet de waarde achter *Verdraagzaamheid* op ongeveer 30 en schakel de optie *Aangrenzend* uit.

4 Klik nu met het toverstafje op het donkerste blauw van de lucht, geheel rechts in de foto.

5 Kies *Selecteren* en *Toename* om de selectie uit te breiden. Herhaal dit tot de hele lucht geselecteerd is.

6 Klik op [Nieuwe laag maken] (🔲).

7 Sleep de nieuwe laag tussen de twee andere lagen.

**8** Selecteer de nieuwe laag. De selectie van de lucht is actief en we gaan die overbrengen naar *Laag 2*. Deze laag is nu transparant, dit kunt u zien aan de blokjes op de laag. Er zijn dus geen pixels gevuld met kleur.

**9** Druk op <Alt>+<Del> of <Alt>+<Backspace> om de selectie met de voorgrondkleur te vullen. Bij ons is dit zwart, maar het maakt niet uit welke kleur u hiervoor gebruikt.

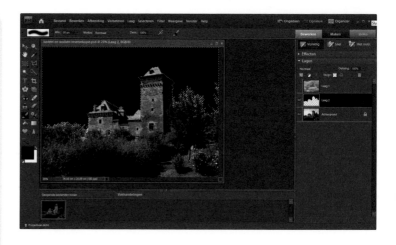

De foto ziet er nu heel vreemd uit omdat de lucht zwart is, maar wees gerust: de oorspronkelijke foto is ongeschonden. Het zwart in *Laag 2* gaat gebruikt worden als laagmasker (stap 10-11).

**10** Plaats de aanwijzer op de horizontale lijn tussen *Laag 1* en *Laag 2*. De wijsvinger moet precies naar de horizontale lijn wijzen.

**11** Druk de <Alt>-toets in (de aanwijzer verandert in een koppelteken) en klik.

*Laag 1* wordt nu gekoppeld aan *Laag 2*, waarbij *Laag 1* fungeert als drager van pixels en *Laag 2* als laagmasker. Bij een laagmasker in Photoshop Elements is het zo dat de transparante pixels (de grijs-witte blokjes) de gekoppelde laag afdekken en de gekleurde pixels (het zwart in onze afbeelding) de gekoppelde laag zichtbaar maken. Waarom ziet u de lucht op de gekoppelde laag nu dan niet? Wel, omdat deze laag onzichtbaar is gemaakt door het oogje uit te schakelen (stap 12-13).

**12 Schakel het oogje voor**
*Laag 1* **weer in en bewonder het resultaat. De lucht op de gekoppelde laag wordt zichtbaar.**
**13 Bewaar het bestand onder een toepasselijke naam als Photoshop-bestand (PSD). U heeft nu uw werk opgeslagen. Gaat er later iets mis, dan kunt u altijd terugvallen op dit bestand.**

✱ Als er stukjes in de foto niet helemaal goed onder het masker vallen, kunt u dit nog bijwerken. Doe dit door op *Laag 2* (de maskerlaag) te verven: gebruik het gummetje om gebieden weer transparant te maken (en de onderliggende pixels dus onzichtbaar), of gebruik de penseel om gebieden weer zichtbaar te maken.

Het mooie van deze methode is dat u de pixels op de oorspronkelijke laag intact laat. Dit kunt u goed zien als u nu op *Laag 1* klikt en met het gereedschap [Verplaatsen] (🖐) de wolkenlucht versleept.

**Stap 4** *Uw droomhuis in de wolken*
Het eindresultaat uit de vorige oefening is heel mooi, maar u kunt het effect nog mooier maken door een geleidelijk verloop toe te passen.

**1 Druk de <Ctrl>-toets in en klik op** *Laag 2* **(de maskerlaag). Hiermee maakt u een selectie van alle pixels op deze laag. Het gekleurde gedeelte is nu geselecteerd.**
**2 Druk op <Del> om de inhoud van de selectie te verwijderen. De oorspronkelijke foto wordt weer zichtbaar.**
**3 Klik op [Verloop] (▢) en daarna op [Lineair verloop] (▢). Kies vervolgens** *Bewerken*.
**4 Klik op de tweede knop boven in het venster ([Voorgrond naar transparant]).**

**5** Klik op [ok], plaats de aanwijzer op de bovenrand van de
foto en sleep naar het midden.
Laat daarna de muisknop los.
**6** Kijk wat er gebeurd is met
*Laag 2*. U ziet een geleidelijk
verloop van zwart naar transparant. Het resultaat is dat de
wolkenlucht een zacht verloop
naar beneden krijgt. Dit geeft
een natuurlijker resultaat.

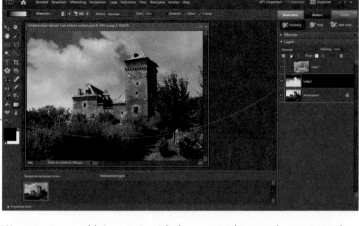

We gaan nu een klein grapje uithalen: we maken op de voorgrond
ook wolken, zodat het lijkt of het huis in de wolken staat.

**7** Hef de selectie op met
<Ctrl>+<d>. Let op: u moet
nog steeds in *Laag 2* staan.
**8** Plaats de aanwijzer op de
onderrand van de foto en
sleep een paar centimeter naar
boven. U kunt dit op diverse
plaatsen herhalen om een half-
rond verloop te krijgen.

**9** Bewaar het eindresultaat
onder een toepasselijke naam.

*Portretten uitlichten*

Het gebruik van laagmaskers kan een zeer krachtige manier zijn om bijvoorbeeld portretten nog mooier te laten uitkomen. Denk aan het dromerige softlenseffect. De werkwijze is als volgt.

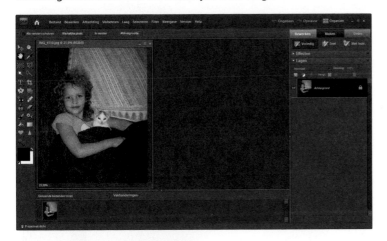

1 **Open een portret.**
2 **Maak in het deelvenster** *Lagen* **een nieuwe laag aan door op het knopje [Nieuwe laag maken] (▣) te klikken.**

3 **Druk eerst op de letter <d> op het toetsenbord. Hiermee herstelt u de standaard voor- en achtergrondkleuren (zwart-wit). Druk daarna op <Ctrl>+<Del> om de laag met wit te vullen.**

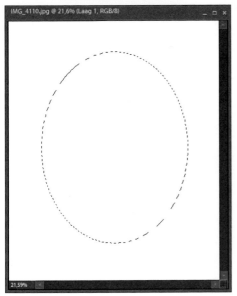

4 **Druk op de sneltoets <Shift>+<m> tot het gereedschap [Ovaal selectiekader] (⬭) is geselecteerd.**
5 **Plaats de aanwijzer in het midden van het portret. Druk de <Alt>-toets in om vanuit het midden te tekenen, druk de muisknop in en sleep in de richting van de rechteronderhoek. Heeft het ovaal de juiste vorm, laat dan eerst de muisknop los en daarna de <Alt>-toets.**

**6 Kies *Selecteren, Doezelaar*.**
Met de doezelaar kunt u de randen van het ovale selectie-kader verzachten. De waarde die u invult hangt af van de pixeldichtheid van uw foto. Bij een gemiddelde foto is een pixelwaarde van 50 of meer aan te raden.

**7 Probeer ook andere waarden uit.** Is het resultaat niet goed, maak het dan ongedaan met <Ctrl>+<z> en probeer het opnieuw. Klik op [ok] als het resultaat goed is.

**8 Druk op <Del> om het ovaal uit te knippen.** Als het portret niet helemaal goed past, kunt u het verslepen. Daarvoor moet wel eerst de achtergrond-laag ontgrendeld worden.

**9 Dubbelklik op de laag *Ach-tergrond* en klik op [ok] om een losse laag te maken.** De laag *Achtergrond* heeft nu de naam *Laag 0* gekregen.

**10 Hef de selectie op met <Ctrl>+<d>.**

**11 Klik op het gereedschap [Verplaatsen] en versleep de foto tot deze goed in het ovaal past.**

Is het ovaal te groot of te klein, maak dan een nieuwe uitsnede. Maak de hiervoor gezette stappen ongedaan met <Ctrl>+<z> en probeer het opnieuw.

*Basissjabloon maken*
Als u een bepaald kader veel denkt te gaan gebruiken dan kunt u daarvan een basisdocument (sjabloon) maken. Het is heel simpel.

**1 Verwijder uit het document** dat u zojuist gemaakt heeft de laag met de foto, maar laat het laagmasker staan. De laag kunt u verwijderen door deze naar het prullenbakje in het deel-venster *Lagen* te slepen.

2 **Bewaar het bestand in het Photoshop-formaat.**
3 **Wilt u een andere foto in het kader plaatsen, open deze dan en sleep de miniatuur naar het bestand met het kader.**
4 **Sleep de laag met de foto naar beneden in het deelven-ster** *Lagen*, **zodat het onder het laagmasker zit.**

## Teksten in foto's plaatsen

Ook bij het plaatsen van teksten in foto's kunt u gebruikmaken van laagmaskers. De werkwijze is dan als volgt.

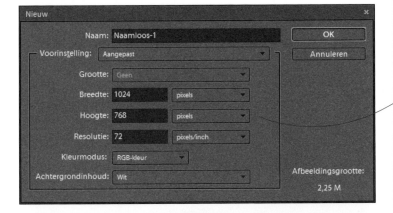

1 **Maak een nieuw document door op <Ctrl>+<n> te druk-ken.**
2 **Typ de waarden voor** *Breedte* **en** *Hoogte* **(1024 x 768 px) in, wijzig de** *Resolutie* **in 72 pixels/inch, de** *Kleurmodus* **in** RGB-**kleur en de** *Achtergrondinhoud* **in wit. Klik op [**OK**].**
3 **Selecteer het gereedschap [Tekst] (de knop met de letter T) en klik ergens in de pagina.**
4 **Kies een fors lettertype, bijvoorbeeld** Franklin Gothic Heavy, **een lettergrootte van** 220 **punten en typ het woord** kleur.
5 **Druk op de letter <d> op het toetsenbord om de voor- en achtergrondkleur te wijzigen in de standaardinstellingen.**
6 **Klik op de knop [Verplaat-sen], zodat de tekst geselec-teerd wordt. Sleep de tekst naar het midden, boven in het ontwerp.**
7 **Maak op deze manier ook nog de tekst** bloemen **met dezelfde eigenschappen en de tekst** je leven met **in de letter-grootte** 60 **punten.**

**8** Open de foto's 'gele bloe-
men.jpg' en 'paarse bloemen.
jpg'.

**9** Haal het tekstbestand naar
de voorgrond door te dub-
belklikken op de miniatuur
onderaan.

**10** Sleep de miniatuur van de
gele bloemen naar het tekstbestand. Ze wordt heel klein
weergegeven, maar dat zegt
niets. De foto is weer een slim
object (te zien aan het tekentje
op de laagminiatuur).

**11** Rek met het gereedschap
[Verplaatsen] de foto van de
bloemen uit, zodat deze de
hele pagina bedekt. Vergeet
niet op <Enter> te drukken om
de transformatie te bevestigen.

**12** Dubbelklik op de laagminiatuur met de tekst 'kleur', zodat
deze geselecteerd wordt. Dit
is de eenvoudigste manier om
een hele tekst te selecteren.

**13** Klik op de kleurknop boven
in het venster (■). Kies een
mooi rood en klik op [ok] om
deze kleur op de tekst toe te
passen.

**14** Verander op dezelfde
manier de kleur van de tekst
'je leven met' in wit.

**15** Klik op [Verplaatsen] en
daarna op de tekst [kleur].

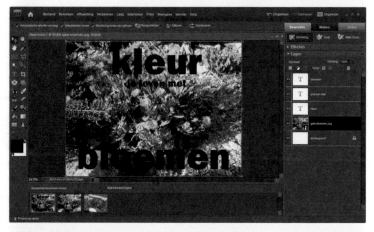

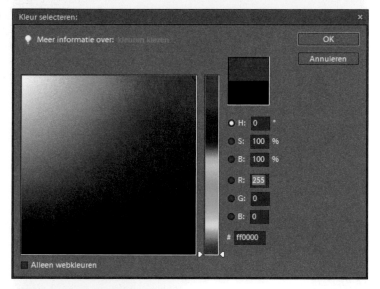

**16** Open het deelvenster
*Effecten* door op het pijltje te
klikken.

**17** Klik op het knopje [Laag-
stijlen] (■).

**18** Klik in het tekstvak daarnaast en kies 'Gloed buiten'.
Kies vervolgens het eerste
effect (Brand).

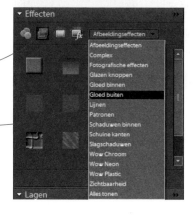

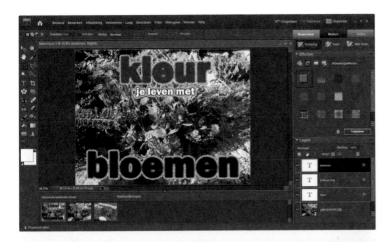

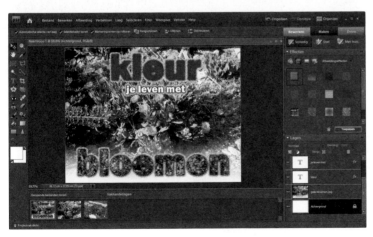

**19** Klik op de knop [Toepassen] om het effect op de tekst toe te passen.

**20** Doe dit ook met de andere teksten.

**21** Sleep de foto 'paarse bloemen.jpg' naar het tekstbestand.

**22** Rek met het gereedschap [Verplaatsen] de foto zodanig uit, dat deze de tekst 'bloemen' geheel bedekt. Vergeet niet op <Enter> te drukken om te bevestigen.

**23** Zorg ervoor dat deze foto in het deelvenster *Lagen* precies boven de laag *bloemen* staat. Klik op de laag *bloemen* en druk op <Ctrl>+<g> om hem te koppelen aan de laag *paarse bloemen.jpg*.

**24** Als u op de laag *paarse bloemen.jpg* staat, kunt u de foto met de bloemen binnen de tekst verschuiven. Probeer maar. Wilt u evenwel de tekst 'bloemen' verplaatsen, maak dan eerst de laag *paarse bloemen.jpg* onzichtbaar en verplaats daarna de tekst.

**25** Om het geheel af te maken, past u nu een wit verloop toe achter de tekst 'bloemen' om deze mooier te laten uitkomen. Klik op [Verloop]. Stel als voorgrondkleur wit in en zorg dat het verloop lineair is, van wit naar transparant.

**26** Klik met de rechtermuisknop op de laag *gele bloemen.jpg* en kies *Laag vereenvoudigen*. Hiermee bevestigt u dat u de laag in het huidige formaat wilt behouden.

**27** Sleep nu een verloop van de onderzijde van de foto een paar centimeter naar boven.

*Panoramafoto's maken*

Veel digitale camera's hebben de mogelijkheid panoramafoto's te maken. Hierbij ziet u steeds een deel van uw vorige foto in beeld en dan weet u precies hoe u de volgende foto moet maken om de rand te laten overlappen. Canon levert bij zijn camera's het handige programma Photostitch, waarmee de foto's heel makkelijk kunnen worden samengevoegd.

Heeft uw camera die functie niet, dan kunt u met de functie *Photomerge-panorama* snel en eenvoudig foto's aan elkaar plakken om zo een panoramabeeld te krijgen. Neem de beoogde panorama-foto vanaf een vaste plek, bij voorkeur met een statief. Is dat niet voorhanden, blijf dan zo stil mogelijk staan en draai steeds een paar graden naar rechts of links om de volgende foto te maken.

**1 Open de foto's 'toulouse-plantentuin01.jpg' tot en met 'toulouse-plantentuin05.jpg'. Als u 'toulouse-plantentuin03.jpg' en 'toulouse-planten-tuin04.jpg' naast elkaar plaatst, zult u zien dat op deze foto's dezelfde mensen staan, maar dan op een andere plek. Hoe gaat Photomerge-panorama dit oplossen?**

**2 Kies *Bestand, Nieuw, Photo-merge-panorama*.
3 Klik op de knop [Geopende bestanden toevoegen].
4 Links in het venster kunt u een aantal manieren kiezen waarop het programma de foto's samenvoegt. Schakel de optie *Interactieve layout* in om ook zelf wijzigingen te kunnen aanbrengen.
5 Klik op [ok].**

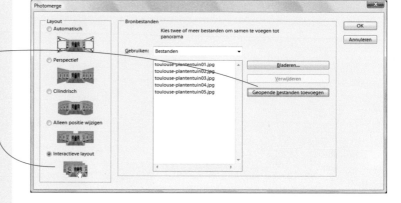

**6** In het volgende venster zijn de foto's zo goed mogelijk aan elkaar geplakt. Met de navigator rechts in het venster kunt u eventueel in- en uitzoomen. Zo kunt u zien hoe het programma de verschillende foto's heeft samengevoegd.

**7** Als u de spatiebalk indrukt, verandert de aanwijzer in een handje. Door te slepen kunt u door het beeld schuiven, van de ene naar de andere kant.

**8** Als u goed kijkt, ziet u dat het dak links niet helemaal aansluit. Dat lijkt vreemd omdat we toch een goede foto van dit stukje van het gebouw hebben. Maar geen zorgen: het programma zal dit zo dadelijk voor u oplossen. Als het nodig is, kunt u de beelden verschuiven, maar dat doen we nu niet. Het resultaat is op zich al indrukwekkend en er is nog veel te verbeteren met de retoucheergereedschappen.

**9** Zoom uit zodat u de hele foto kunt zien. Kies *Perspectief* (rechts in het venster). De foto krijgt nu een nog ruimtelijker effect.

**10** Kies uiteindelijk weer *Alleen positie wijzigen* om de perspectivische weergave ongedaan te maken.

**11** Het resultaat is mooi. Klik op [ok] om de samenvoeging te bevestigen.

**12** Het enige wat u nog hoeft te doen, is de foto mooi uitsnijden. Doe dit met het gereedschap [Uitsnijden] (links in het venster). U ziet hoe makkelijk het is om foto's samen te voegen. Het succes staat of valt met de kwaliteit van en de samenhang tussen de foto's.

Een heel ander verhaal wordt het als u foto's gaat samenvoegen die weinig samenhang vertonen. Het programma heeft er dan evenveel moeite mee als u. Het is dus heel belangrijk dat uw panoramafoto's met dezelfde camera genomen zijn, vanaf hetzelfde standpunt en onder dezelfde weersomstandigheden.

# Wie mag uw foto's zien?

## 7

Er zijn diverse digitale manieren om uw foto's aan de buitenwereld te tonen. Sociale netwerken, zoals Hyves en Myspace, bieden veel ruimte voor uw albums. Daarnaast zijn er fotogerichte sites, zoals Locr en Flickr. Op al deze plaatsen heeft u zelf de keuze om de foto's te tonen aan een beperkte groep mensen of aan de hele wereld.

Vindt u het ondanks alle presentatiemogelijkheden toch het leukst om af en toe een fotoalbum uit de kast te trekken en door te bladeren op de bank? Dan kunt u de foto's zelf afdrukken of ze naar een fotocentrale sturen, waar het mogelijk is complete albums te bestellen in allerlei formaten. In dit hoofdstuk laten we zien welke manieren er zijn om uw foto's bereikbaar te maken voor vrienden en familie.

## 7.1    Online afdrukservices

### 7.1a    *De kwaliteit van de foto's*
Het belangrijkst is natuurlijk de kwaliteit van de foto's. Die is bij de meeste aanbieders acceptabel en soms zelfs zeer goed.

### 7.1b    *Losse foto's afdrukken*
Een afdrukservice is een goede optie voor het maken van afdrukken. U kunt de digitale foto's er stuk voor stuk laten afdrukken (grote aantallen is vrijwel altijd goedkoper). Bij een afdrukservice worden de digitale bestanden omgezet in digitale negatieven die op gewoon fotopapier worden afgedrukt. Hierdoor zijn de houdbaarheid en kleurechtheid prima. U kunt de bestanden via internet verzenden, zodat u de deur niet uit hoeft. Inschrijven (gebruikersnaam en wachtwoord) is meestal wel nodig. Op de website van een afdrukservice leest u alle noodzakelijke informatie.

Als u niet beschikt over breedbandinternet kan het verzenden van de foto's erg veel tijd in beslag nemen. Bij de meeste afdrukservices kunt u de foto's afhalen bij een filiaal in de buurt of ze laten opsturen via de post.

De meeste afdrukservices willen dat u de foto's in JPEG-formaat aanlevert. Pak de foto's niet in, want afdrukservices kunnen niet werken met ZIP-bestanden of andere formaten.

> **!** Naast losse afdrukken (van klein formaat tot poster) of het maken van een fotoalbum kunt u de foto's bijvoorbeeld ook op mokken, T-shirts en kalenders laten afdrukken. U kunt van uw foto's ook een persoonlijke kalender maken of een eigen agenda. En wat denkt u van het spel *Memory*? Meer informatie vindt u in de test 'Fotoalbums' op www.consumentenbond.nl (alleen voor leden).

*Een foto bijsnijden (losse foto's)*
Bij de meeste afdrukservices is de verhouding tussen hoogte en breedte een punt om erg goed in de gaten te houden. De meeste digitale camera's werken met de verhouding 4:3 en bij afdrukservices wordt nog vaak vastgehouden aan de ouderwetse standaardverhou-

ding 3:2 (15x10cm). De fotoservices hebben twee mogelijkheden: beeldvullend maken en een stuk afsnijden of de foto binnen de maten passen en een stuk wit laten; meestal wordt de eerste optie gekozen met als gevolg dat er mogelijk ongewenst een (belangrijk) stuk van de foto verdwijnt.

Om te voorkomen dat het verkeerde gedeelte van een foto wordt afgedrukt, kunt u de foto van tevoren bijsnijden (uitsnijden), zodat een beeldverhouding ontstaat die de afdrukcentrale gebruikt (u bepaalt hierbij zelf welke delen van de foto verdwijnen) of u kunt witruimte toevoegen zodat de hele foto wordt afgedrukt.

De hierna beschreven methodes passen de verhoudingen en afmetingen aan. In het voorbeeld gaan we uit van de verhoudingen die de Hema-afdrukservice hanteert. Andere afdrukservices kunnen andere instellingen gebruiken! Controleer dit voor u het formaat aanpast.

| Afdruk | Optimaal formaat (± 300 PPI) | Minimaal formaat (± 150 PPI) | Verhouding |
|---|---|---|---|
| 9x13 (8,9 x 13,0 cm) | 1050 x 1530 | 500 x 730 | 2:2,92 |
| 10x15 (10,2 x 15,2 cm) | 1200 x 1800 | 600 x 900 | 2:3 |
| 13x18 (12,7 x 19,0 cm) | 1500 x 2250 | 700 x 1050 | 2:3 |
| 20x30 (20,3 x 30,0 cm) | 2400 x 3540 | 1200 x 1770 | 2:2,95 |

Houd bij het bewerken en optimaliseren voor een afdrukservice liefst de volgende instellingen aan: de maten van het gewenste afdrukformaat en een afdrukresolutie van ±300 PPI.

**1** **Start Photoshop Elements en open de foto 'poesje in boom. jpg'. Bewaar het bestand als poesje-beeldvullend.jpg. De afmetingen van deze foto zijn 2592x1944 pixels, wat overeenkomt met een fotoverhouding van 4:3.**

**2** **Druk op 'M' om het gereedschap [Rechthoekig Selectiekader] te selecteren.**

**3** **Kies in de optiebalk bij** *Modus* **voor** *Vaste verhoudingen* **en vul bij breedte 3 en bij hoogte 2 in.**

**4** **Geef door te slepen het gebied aan dat u wilt uitsnijden; automatisch wordt de verhouding 3:2 aangehouden. Na het loslaten van de muisknop wordt uw selectie aangegeven met een streepjeslijn.**

**5** **Eventueel kunt u de selectie verplaatsen door erin te klikken en haar te verslepen.**

6 Kies uit het menu *Afbeelding* de optie *Uitsnijden* en uw afbeelding wordt op maat gemaakt.
7 Kies *Bestand, Opslaan* om de op maat gemaakte foto te bewaren.
8 Kies *Bestand, Sluiten* om de afbeelding te sluiten.

## Een foto passend maken (losse foto's)

Als u de gehele foto wilt afdrukken en een extra witrand op de koop toe neemt, kunt u die zelf vooraf toevoegen.

1 Open 'poesje in boom.jpg' en sla het bestand meteen op als poesje_passend.jpg.
2 Kies *Bestand, Bestandsinfo* en selecteer in de linkerkolom *Cameragegevens 2*. Boven in het venster ziet u de afmetingen van de foto (hier: b 2592 x h 1944). We gaan de hoogte herberekenen en later gebruiken voor het wijzigen van de canvasgrootte.

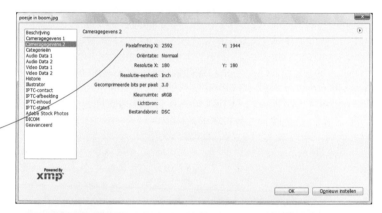

3 Deel de hoogte door 2 en vermenigvuldig het resultaat met 3, zo krijgt u de nieuwe breedte voor de verhouding 3:2 (in dit voorbeeld 1944/2=972 en 972x3=2916).
4 Kies *Afbeelding, Vergroten/verkleinen, Canvasgrootte* (hiermee wordt de foto zelf niet gewijzigd, maar alleen de witrand).
5 Kies bij *Breedte* eerst de maateenheid *pixels*, vul daarna het bij stap 3 berekende resultaat in (2916).
6 Klik op [OK] en de bewerking wordt toegepast.

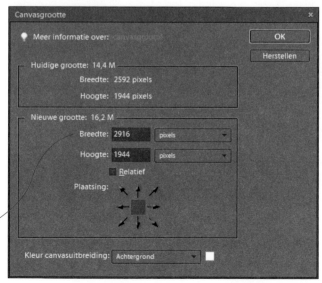

*De nieuwe witranden zijn hier voor alle duidelijkheid roodgekleurd*

7 **Als u uitzoomt dan kunt u zien dat links en rechts een witte strook is toegevoegd.**
8 **Kies** *Bestand, Opslaan*.
9 **Sluit de afbeelding: kies** *Bestand, Sluiten*.

### 7.1c Fotoalbums maken

Een andere optie is het samenstellen van een fotoalbum met speciale, gratis software. Het resultaat verstuurt u naar een centrale en
een paar dagen later valt een gedrukt exemplaar in de bus of u kunt
het ophalen in de winkel. Zo'n kant-en-klaar album ziet er vaak veel
mooier uit dan wanneer u het zelf doet. De formaten, indelingsmo-
gelijkheden én prijzen verschillen flink. Bijna altijd wordt er gewerkt
met sjablonen. U kiest per albumpagina een sjabloon, sleept daar uw
foto's in en voegt eventueel bijschriften toe. Zo werkt u pagina voor
pagina af tot uw album compleet is.

Inmiddels is er een ruime keus aan aanbieders van fotoalbums via
internet. Onze zoektocht leverde al snel zestig websites op. U moet
een aantal zaken in de gaten houden voor u begint.

> **\*** Is een gedrukt fotoalbum duur? Dat hoeft niet. Er zijn ook kleine
> albums of boekjes vanaf ongeveer €8. Gemiddeld liggen de kos-
> ten voor albums tussen de €30 en €40.

*Gebruiksgemak*

Vaak moet u een programma downloaden om een album te kunnen
samenstellen. Zo'n programma heeft sjablonen van pagina's waaruit
u kunt kiezen en vaak kunt u er meteen ook een bijschrift typen. De
verschillen tussen aanbieders zitten in de gebruiksmogelijkheden
van de software.

Uit onze laatste test van fotoalbums (juli 2008) bleek de software van
Foto.com, Fujicolor, Henzo, het Duitstalige Fotobuch.de en Albelli
(ook Hema) het meest gebruiksvriendelijk.

Bij enkele services stelt u uw fotoalbum online samen. U hoeft dan
geen speciale software te installeren. U kunt uw album tussentijds
opslaan en later verdergaan. Dat is belangrijk omdat het samenstellen van een album algauw enkele uren in beslag neemt. Hiervoor
is wel een snelle internetverbinding – ADSL of kabel – nodig, want

anders duurt het verzenden van uw foto's naar de afdrukcentrale te lang. Dit kan bij de verschillende aanbieders zelfs met een snelle verbinding soms tot drie kwartier in beslag nemen.

**De beste fotoalbums via internet**

| | Merk/website | Richtprijs | Testoordeel[2] |
|---|---|---|---|
| 1 | www.albelli.nl[1] | € 32,50 | 67 |
| 2 | www.webprint.nl | € 22,60 | 64 |
| 3 | www.myphotobook.nl[3] | € 44,90 | 62 |
| 4 | www.fotoproduct4u.nl | € 33,00 | 61 |
| 5 | www.fujiprint.nl[3] | € 40,90 | 61 |

1) Voorheen www.albumprinter.nl
2) 0-19 = slecht, 20-39 = matig, 40-59 = redelijk, 60-79 = goed, 80-100 = zeer goed
3) Boeken met 48 pagina's; de andere albums hebben 38 tot 42 pagina's
Peildatum juli 2008; voor meer en actuele testgegevens,
zie de test 'Fotoalbums en fotocadeaus' op www.consumentenbond.nl

**✳ Houdbaarheid**
Een fotoalbum bestellen via internet is leuk en zorgt ervoor dat u de foto's uiteindelijk vaker bekijkt dan wanneer ze alleen op de pc staan. Althans, zo gaat dat bij veel mensen. Foto's los laten afdrukken kan natuurlijk ook, maar de praktijk leert dat afdrukken van digitale foto's vaak in een doos belanden. Een extra overweging om een album via internet te bestellen, is het goed kunnen bewaren van uw foto's, al is het nog niet duidelijk hoe lang de foto's in een album goed van kwaliteit blijven.

*Kwaliteit*
Behalve de kwaliteit van de foto's is de kwaliteit van het album belangrijk. De variatie in albums is groot, ook al gaat het eigenlijk om twee basisvarianten: ingebonden of met ringband. Ingebonden albums zijn er als fotoboeken of als traditionele fotoalbums. Ringbanden kennen vele uitvoeringen. Een aantal aanbieders heeft nog een alternatief: losse bladen, al dan niet in een omslag met twee boutjes. Zo kunt u op verschillende momenten het boek vullen. Waar uw voorkeur naar uitgaat is een kwestie van smaak. Ingebonden albums zijn vaak mooier, maar een ringband is praktischer.

*Hoe werkt het?*
Maak een account aan bij de aanbieder en download het programma. Wilt u liever geen software op de computer? Kies dan voor een aanbieder bij wie je de foto's eerst moet uploaden. Dit duurt wel even, maar het verzenden van de opdracht gaat vervolgens wel weer sneller. Voordeel van online werken is dat u niet aan een computer bent gebonden. Betalen kan op verschillende manieren betalen: per creditcard, via overschrijving, iDeal, automatische incasso of onder rembours. Dit verschilt per aanbieder. Het album wordt door de meeste aanbieders per post thuisbezorgd. In een enkel geval moet u het in de winkel op gaan halen of kunt u kiezen voor beide mogelijkheden. In onderstaand voorbeeld maken we gebruik van Albelli.

**⚠ Veiligheid voorop**
Wij adviseren digitale foto's op meerdere plekken op te slaan: op de harde schijf van de pc, op een losse externe harde schijf en op dvd's of cd-roms. Controleer op elk medium eens in de paar jaar of de bestanden nog intact zijn.

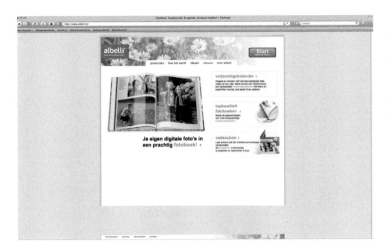

1 Gebruikt u iPhoto, open dan eerst dit programma.
2 Ga nu naar www.albelli.nl en klik op de knop [Start fotoboek maken].

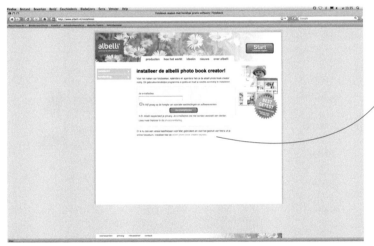

3 Klik in het volgende venster op [Nu installeren]. Macgebruikers kiezen onderaan voor de blauwe link *albelli photo book creator express* en vervolgens voor [Nu installeren].

4 Doorloop de vervolgstappen voor installatie tot u een fotoboek kunt kiezen. Maak uw keuze (in dit voorbeeld kiezen we een staand fotoboek)
5 Eventueel kunt u uw keuze nog aanpassen. Wilt u dit niet, klik op [Volgende].

**6** In het volgende scherm heeft u diverse opties: u kunt losse foto's uit een map op uw computer naar het scherm slepen, maar ook foto's uit bijvoorbeeld Picasa en Flickr.

**7** Klik op [Mijn Computer] en selecteer de map met foto's die u in een album wilt plaatsen. Gebruikt u iPhoto dan worden de foto's in dit programma automatisch getoond.

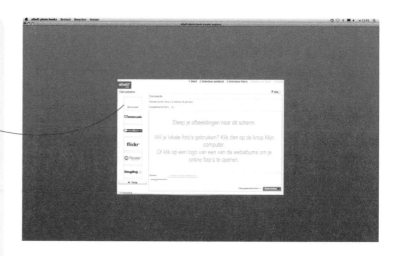

**8** Kies de foto's waarmee u een fotoboek wilt maken en sleep ze naar het Albelli-scherm. Als de foto's in het scherm staan, kunt u ze eventueel verwijderen door erop te klikken en op <Delete> te drukken.

**9** Wilt u dat het programma het fotoboek automatisch vult, plaats de foto's dan nu in de juiste volgorde.

**10** Klik op [Boek maken].

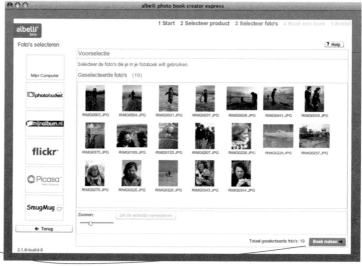

**11** In het volgende venster kunt u kiezen tussen automatisch en handmatig vullen. Als u de foto's al in de juiste volgorde heeft gezet, kunt u de eerste optie kiezen. Wij hebben een voorkeur voor handmatig vullen.

**12** In dit venster kiest u ook een indeling (hoeveel foto's op een pagina). Het programma geeft automatisch aan of u genoeg foto's heeft geselecteerd. Klik op [Volgende] voor de volgende stap.

**13** Nu kunt u niet alleen de foto's op de goede plaats in het album zetten, maar bijvoorbeeld ook de pagina-indeling aanpassen, tekst toevoegen, een achtergrondkleur uitzoeken en een specifiek thema kiezen (zoals vakantie).

**14** Wij kiezen allereerst onder *Achtergronden* voor *Kleur*. Kies een kleur door in het vakje met het woord 'kleur' op het kleine pijltje te klikken en een kleur te selecteren. Sleep die kleur vervolgens naar de pagina die u een achtergrondkleur wilt geven. Per pagina kunt u wisselen van achtergrond, maar u kunt een gekozen achtergrond ook op alle pagina's toepassen door een vinkje te plaatsen voor *Op alle pagina's toepassen*.

**15** Daarna voegen we tekst toe. Lettertype, -grootte en -kleur kunt u aanpassen, net als de uitlijning. Door het tekstvakje op te pakken, kunt u het naar een andere plek op de pagina slepen.

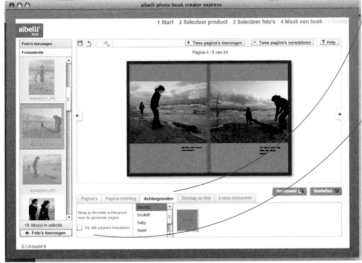

**16** Klik op het pijltje rechts op de pagina om naar de volgende pagina's in het boek te gaan.

**17** Kies eventueel een nieuwe pagina-indeling door onder de tab *Pagina-indeling* een selectie te maken en die naar de pagina te slepen.

**18** Sleep de foto's voor die pagina's naar het boek. U kunt een foto ook draaien, spiegelen of een filter selecteren door erin te gaan staan en linksboven op het potloodje te klikken. Met het prullenmandje verwijdert u de foto uit de pagina, met het rechterbeeldje kunt u het formaat binnen het kader aanpassen.

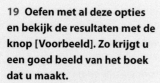

**19** Oefen met al deze opties en bekijk de resultaten met de knop [Voorbeeld]. Zo krijgt u een goed beeld van het boek dat u maakt.
**20** Bekijk zo het hele boek. Bent u tevreden over het resultaat, klik dan op [Bestellen].

**21** In het volgende scherm kiest u de kleur voor het omslag, of u een titel op het omslag wilt en of de pagina's glanzend afgewerkt moeten worden. Overal waar dat van toepassing is, staan meerprijzen aangegeven. Klik nu op [Volgende].

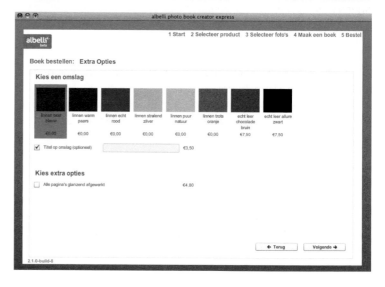

albelli
beta

1 Start　2 Selecteer product　3 Selecteer foto's　4 Maak een boek　5 Bestel

Boek bestellen:　Factuuradres

Voornaam

Tussenvoegsel

Achternaam

Adresgegevens

Postbusadressen zijn niet geldig als bezorgadres.

Land　　　　　Nederland　　　▼

Straat

Huisnummer

Postcode

Stad

Contactgegevens

Telefoon

E-mailadres

Promotiecode

Voer een promotiecode in

☐ Bewaar mijn persoonlijke gegevens
voor de volgende keer

Annuleren　　← Terug　　Volgende →

2.1.0-build-8

**22** **Vul uw persoonlijke gegevens in en klik op [Volgende].
Doorloop alle volgende
stappen, ga in het overzicht
akkoord met de bestelling
en de algemene voorwaar-
den (aanvinken!) en rond uw
bestelling af. U heeft vervolgens verschillende betalings-
mogelijkheden.**

## 7.2　Zelf afdrukken

### 7.2a　*Printers en papier*

Voor het afdrukken van foto's heeft u een printer nodig: een reguliere
A4-inkjetprinter, een fotoprinter of eventueel een kleurenlaserprinter.
Met een inkjetprinter kunt u prima foto's afdrukken. Laserprinters zijn
nauwelijks geschikt voor fotoafdrukken, omdat ze vaak wat afwijken-
de kleuren geven en niet met speciaal fotopapier overweg kunnen.
Een voordeel van laserprinters is wel dat ze – zeker in vergelijking
met inkjetprinters – razendsnel kunnen afdrukken en goedkoop zijn
in het gebruik. Met fotoprinters kunt u direct vanaf de camera printen, dus zonder dat er een computer aan te pas komt. Deze printers
worden steeds populairder. Is uw camera voorzien van PictBridge
dan sluit u hem via een usb-kabel aan op de printer. U kunt ook het
geheugenkaartje uit de camera in de fotoprinter steken. Gewone
printers zijn eveneens vaak voorzien van een (multi)kaartlezer.

*Kleurenlaserprinter Samsung
CLP315W*

Er is speciaal fotopapier voor de printer in verschillende formaten
en kwaliteiten, mat en glanzend. Dit papier is niet goedkoop; zelf
afdrukken is vaak dan ook duurder dan foto's laten afdrukken door
een fotocentrale. U moet immers niet alleen het papier rekenen,
maar ook de benodigde inkt. Anderzijds: als u zelf afdrukt, heeft u
wel alle vrijheid om te experimenteren met formaten, panoramafoto's, enzovoort.
Als u verschillende soorten papier gebruikt, zult u zien dat de kleuren
er op elke papiersoort anders uitzien. Dat heeft te maken met de
opname van de inkt in het papier. Papier dat makkelijk absorbeert,
verspreidt de inkt een beetje; die trekt in de vezels van het papier
en de afdruk zal er lichter en onscherper door lijken. Bij gebruik van
compact papier of fotopapier is er vrijwel geen absorptie: de inkt
blijft dichter aan de oppervlakte liggen en de kleuren worden donkerder en voller. De inkt heeft dan wel wat meer droogtijd nodig.

*Canon Pixma iP5300 printer met compactcamera Powershot S80*

*Inkjetprinters*

Voor een bescheiden bedrag kunt u een goede printer kopen, maar met een goedkope printer bespaart u niet per definitie geld. Dergelijke apparaten zijn niet al te zuinig met de inkt en na weinig kleurenafdrukken zijn de cartridges al leeg. Vaak kunt u bovendien alleen (dure) cartridges van de fabrikant gebruiken.

Er zijn inkjetprinters speciaal voor afdrukken op fotokwaliteit; ze worden door de leveranciers dan ook vaak fotoprinters genoemd. Deze printers beschikken over een hoge afdrukresolutie en gebruiken vaak speciale foto-inktcartridges. Ze bevatten niet meer inkt dan een normaal inktpatroon, maar wel aangepaste inkt die een beter kleurenresultaat geeft. Zo'n cartridge is vaak wel wat duurder.

Hoewel de verpakking van een cartridge en de specificaties van de leverancier vaak aangeven dat vierhonderd afdrukken gemaakt kunnen worden, zal dit aantal bij fotoafdrukken veel lager liggen. De leveranciers gaan namelijk uit van normaal gebruik voor het afdrukken van tekst voor brieven en andere documenten, waarbij slechts 5% van het papier wordt bedekt met inkt. Bij het afdrukken van foto's is de dekking 50 tot 95%, waardoor u effectief slechts twintig tot veertig afdrukken (op A4-formaat) kunt maken met één kleurencartridge. De kosten zijn vergeleken met het afdrukken van een normale brief dus een stuk hoger.

Om echt mooie afdrukken te krijgen, moet u bovendien inkjetfotopapier gebruiken; normaal papier is te poreus en vervaagt de kleuren. Fotopapier versterkt de kleuren en geeft een aanzienlijke kwaliteitsverbetering. Fotopapier is er in allerlei kwaliteiten en dus ook in verschillende prijzen. Voor een gemiddelde kwaliteit betaalt u algauw €0,50 per A4-vel.

Verder moet u rekening houden met de afdruktijd: de voorbereiding door de computer voor het afdrukken en het afdrukken van de foto zelf nemen vrij veel tijd in beslag. Een afdruktijd van een paar minuten voor een A4-print is niet uitzonderlijk. Prints moeten vaak een paar minuten drogen voor u ze goed kunt vastpakken.

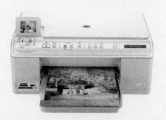

*HP Photosmart C6380 all-in-one*

### De top in all-in-one printers*

| | Merk/type | Richtprijs | Inktkosten p/jr | Testoordeel ** |
|---|---|---|---|---|
| 1 | HP Photosmart C6380 | € 170 | € 96 | 66 |
| 2 | HP Photosmart C5380 | € 120 | € 100 | 65 |
| 3 | Epson Stylus Photo RX585 | € 88 | € 124 | 64 |
| 4 | Epson SX 600FW | € 190 | € 78 | 62 |
| 5 | Canon Pixma MP620 | € 150 | € 105 | 61 |

\*   printers die ook kunnen scannen, kopiëren en/of faxen
\*\* 0-19 = slecht, 20-39 = matig, 40-59 = redelijk, 60-79 = goed, 80-100 = zeer goed
Peildatum april 2009; voor meer en actuele testgegevens, zie de test 'Printers' op www.consumentenbond.nl.

*Minifotoprinter*
Populair zijn de printers speciaal voor het afdrukken van foto's. Met een minifotoprinter kunt u binnen een paar minuten na het maken van een foto het resultaat in handen hebben. Een computer is niet nodig – de minifotoprinter kan direct van camera, geheugenkaart of via Bluetooth afdrukken maken. Minifotoprinters werken allemaal volgens dezelfde standaard (PictBridge), waardoor u de camera slechts via een usb-kabel hoeft aan te sluiten op de printer. Daarna selecteert u de foto('s) en drukt op de printknop.

Dergelijke printers gebruiken meestal speciaal printerpapier en ze kunnen vaak één fotoformaat afdrukken (circa 10x15 cm). Ook voor sommige minifotoprinters geldt dat de afdruk enkele minuten moet drogen voor u deze kunt vastpakken. Als ze gebruikmaken van *dye*-papier kunt u de foto wel onmiddellijk ter hand nemen.

De printers kosten tussen de €100 en €200. De kosten per foto, dus inclusief papier en inkt, liggen meestal rond 30 cent. Uw foto's via internet laten afdrukken bij een afdrukservice is meestal voordeli-ger: 14 tot 39 cent per foto. Zo'n afdrukservice rekent (meestal) wel eenmalig verwerkingskosten (tussen 50 cent en €3,50) en de foto's liggen pas na een paar dagen in de brievenbus of in de winkel. Foto's van een minifotoprinter zijn dus over het algemeen duurder, maar het prijsverschil is voor velen aanvaardbaar.

Er bestaan twee soorten minifotoprinters. Dye-sublimatieprinters laten het papier drie keer langs een rol gaan met een basiskleur *dye* (soort inkt in vaste vorm). Door verhitting wordt de inkt vloeibaar en hecht direct goed aan het papier. De inkt trekt maar minimaal in het papier (genoeg voor een stevige hechting), en blijft er vooral bovenop liggen, waardoor de inkt goed reflecterend en zeer kleur-rijk overkomt. Door de hitte kan de inkt vloeien, zodat de kleuren goed mengen en u geen losse puntjes ziet. Mede door het goede in elkaar overgaan van de inkten levert dit een groot kleurbereik op. Tot slot wordt er doorgaans een transparant laagje overheen gelegd (laminaat) dat de afdruk beschermt tegen water en vegen. Bij het gebruik van dergelijke rollen kan een kleurvlak maar eenmaal gebruikt worden; daardoor is precies bekend hoeveel afdrukken er gemaakt kunnen worden. Doordat de fabrikanten de inkt en het papier gebundeld verkopen, zijn beide altijd tegelijk op. Bij de gro-tere en duurdere modellen wordt gebruikgemaakt van wasstaafjes voor de kleuren; het verbruik is dan afhankelijk van de benodigde hoeveelheid kleur.

Bij de inkjets kunnen na de *low ink*-waarschuwing vaak nog diverse afdrukken gemaakt worden.

### 7.2b  *Afdrukken vanuit Windows*
Alle beeldbewerkingsprogramma's hebben een printoptie om een of meer foto's tegelijk af te drukken. In Picasa kunt u bijvoorbeeld elk willekeurig plaatje naar een A4-vel afdrukken en daar de afmetingen naar believen veranderen en foto's draaien – dat scheelt duur prin-terpapier. U kunt zelf beslissen of een afbeelding met witte randen of beeldvullend afgedrukt wordt. Daarnaast zijn er vele andere opties

waarbij u zelf de grootte van de afbeelding bepaalt. Hierna geven we stap voor stap aan hoe dit werkt.

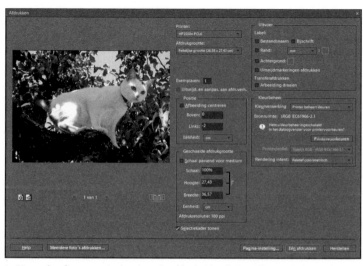

*In Picasa heeft u grote invloed op de afdruk. Met de instellingen in het vak Positie en Geschaalde afdrukgrootte bepaalt u de plaats en de grootte van de afbeelding*

1 **Om af te drukken vanuit de Verkenner selecteert u eerst de foto's die u wilt afdruk-ken. Klik daarna op de knop [Afdrukken]. Het venster dat nu verschijnt is een wizard die u stapsgewijs bij het afdrukken helpt.**
2 **Selecteer in de kolom rechts in welke opmaak u de foto's op een pagina wilt afdrukken. Met de schuifbalk kunt u de verschillende mogelijkheden zichtbaar maken.**
3 **Onderaan kunt u aangeven hoeveel afdrukken u wilt.**
4 **Klik op [Afdrukken].**

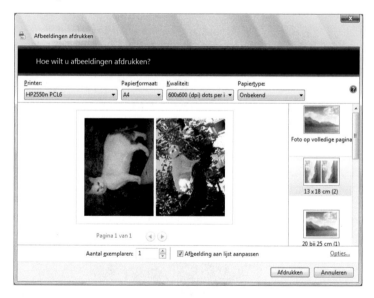

### 7.2c   *Afdrukken vanuit Mac OS/X*
Als u op een Apple foto's wilt afdrukken, wordt daarvoor een stan-daardprogramma gebruikt.
1 **Open de Finder en selecteer de gewenste bestanden. Kies *Archief*, *Druk af*.**
2 **De geselecteerde foto's worden nu geopend.**
3 **U kunt nu vanuit het programma afdrukken met de menuop-dracht *Bestand*, *Afdrukken*.**

### 7.2d   Afdrukken vanuit iPhoto (Mac)

Makkelijker is het afdrukken vanuit iPhoto.

1  **Start iPhoto en selecteer de foto's die u wilt afdrukken (aanklikken voor 1 foto, <Shift>+aanklikken voor meerdere foto's). De geselecteerde foto's zijn herkenbaar aan de blauwe rand.**
2  **Kies *Archief, Druk af*.**
3  **Vervolgens kunt u aangeven hoeveel foto's er op een pagina afgedrukt moeten worden.**
4  **Klik op de knop [Druk af] om het afdrukken te starten.**

> ✳  In iPhoto zijn diverse mogelijkheden om met opmaak af te drukken. Gebruik de mogelijkheden *Kaart*, *Kalender* of *Fotoboek* om een speciale opmaak te kiezen.

### 7.2e   Collages maken in Picasa

Eerder heeft u Picasa leren gebruiken voor het bewerken en archiveren van foto's. Afdrukken kan natuurlijk ook. Een heel leuke optie is het maken van collages. De foto's worden dan verzameld en gerangschikt op een pagina.

1  **Open Picasa en selecteer de foto's waarvan u een collage wilt maken.**
2  **Kies *Maken* en *Afbeeldingscollage*.**

**3** Als u op een van de foto's klikt, verschijnt er een grijze cirkel omheen. U kunt de foto nu naar een andere plaats slepen of u kunt de foto draaien door het rondje ( ◉ ) naast de foto te draaien.

**4** U kunt een foto ook vergroten. Druk dan de <Shift>-toets in en sleep het rondje ( ◉ ) naast de foto naar buiten.

**5** Links in het venster onder het kopje *Fotoranden* kunt u de foto's voorzien van een kader.

**6** Om foto's uit de collage te verwijderen, klikt u erop en u drukt op <Del>.

**7** In het bovenste vakje kunt u bepalen op welke manier de fotocollage wordt gemaakt. De optie *Framemozaïek* toont bijvoorbeeld de eerste foto in de selectie vergroot in het midden. Wilt u een andere foto gebruiken? Selecteer deze en klik op de knop [Instellen als centrum van frame].

**8** Met de knop [Afbeeldingen wisselen] kunt u desgewenst de volgorde van de afbeeldingen veranderen. Picasa zal ze dan als kaarten door elkaar schudden, zodat ze op een andere manier naast elkaar worden geplaatst.

**9** Om de collage definitief te maken, klikt u op de knop [Collage maken]. U moet nu even wachten.

> ⚠ Op dit moment zijn er twee tabbladen bovenaan in het venster zichtbaar: het tabblad *Collage* waar u nu staat en het tabblad *Bibliotheek* met uw foto's.

> ✳ Het tabblad *Clips* toont de foto's in de selectie die nu niet gebruikt worden. Als u bijvoorbeeld foto's uit de collage verwijdert, komen ze in dit tabblad te staan. Van daaruit kunt u ze desgewenst weer terugplaatsen in de collage.

**10 Om de collage af te drukken, klikt u eerst op de knop [Terug naar bibliotheek] bovenaan het venster.**

**11 In de sectie *Projecten* ziet u nu de map *Collages*, waarin de gemaakte collage staat. Selecteer de collage en klik op [Afdrukken].**

## 7.3 Fotolijstjes

Een andere manier om uw foto's te bekijken zonder computer of fotoalbum is een digitale fotolijst. Dit is een 'wissellijstje' voor digitale foto's. De lijstjes spelen foto's één voor één af, vergelijkbaar met een diavoorstelling. De snelheid daarvan is in te stellen, bijvoorbeeld elk uur een andere foto. Om ervoor te zorgen dat de foto's vlot wisselen, is het raadzaam een bestandsgrootte kleiner dan 1 MB aan te houden.

De bedieningsknoppen zitten bij de meeste lijsten aan de achterkant. Een aantal heeft de bediening op de voorkant. Sommige lijsten worden geleverd met een kleine afstandsbediening.

Een aantal lijstjes kan de foto's op drie manieren lezen: vanaf het

intern geheugen, vanaf een externe geheugenkaart (bijvoorbeeld sd) of vanaf een usb-stick. Alle lijsten hebben in ieder geval een ingang voor een sd-kaart, een mmc-kaart en een ms-kaart. De meeste kunnen ook sdhc aan.

Enkele lijstjes zijn uitgerust met een intern geheugen. En vrijwel allemaal hebben ze een usb-aansluiting. Bij sommige lijstjes kun je een usb-stick in de lijst steken en deze uitlezen. Andere kunt u via usb op uw computer aansluiten.

Een belangrijk onderdeel, dat bijna altijd onvermeld blijft: het snoertje. Ieder lijstje heeft stroom nodig en er is dus altijd een kabeltje zichtbaar, tenzij u het heel vernuftig wegwerkt.

**De beste 7″ digitale fotolijstjes**

| | Merk/type | Richtprijs | Testoordeel* |
|---|---|---|---|
| 1 | Sony DPF-D70 | € 150 | 78 |
| 2 | Neovo V10 | € 125 | 72 |
| 3 | Braun DigiFrame 70 | € 90 | 69 |
| 4 | Kodak Easyshare P720 | € 90 | 64 |
| 5 | Agfafoto AF 5075 | € 83 | 63 |

\* 0-19 = slecht, 20-39 = matig, 40-59 = redelijk, 60-79 = goed, 80-100 = zeer goed
Peildatum augustus 2008; voor meer en actuele testgegevens,
zie de test 'Digitale fotolijstjes' op www.consumentenbond.nl

### 7.3a  Digitaal fotoboek

Een variant op het digitale fotolijstje is een digitaal fotoboek, met de naam 'Album'. Het is voorzien van een nette kaft, zodat u het makkelijk mee kunt nemen. De beeldresolutie is 800x480 en het fotoboek beschikt over een aanzienlijk intern geheugen (4 gb), zodat het tienduizenden foto's kan bewaren. Bovendien kunt u het tot 3 uur gebruiken zonder oplader. De prijs is niet mis: bijna €180.

## 7.4  Foto's op internet

Er zijn tal van mogelijkheden om foto's op internet te plaatsen, veelal gratis. Bekende voorbeelden zijn Hyves en Windows Live Spaces, sociale netwerken die de mogelijkheid bieden grote hoeveelheden foto's te uploaden. Andere bekende voorbeelden zijn Flickr, Locr en Panoramio, sites speciaal bedoeld voor het delen van foto's. En Picasa mogen we weer niet vergeten.

### 7.4a  Windows Live Spaces

Heeft u de foto's bewerkt dan kunt u deze op uw Windows Live-account (of Hotmail-account) zetten. Dat is veel slimmer dan uw foto's per e-mail verzenden, want u plaatst de foto's op een centraal netwerk en nodigt vervolgens vrienden uit om ze te komen bekijken. Bovendien krijgen zij geen (te) grote bestanden in hun mailbox.

1 **Klik op [Naar fotogalerij], selecteer de foto's en klik op [Publiceren]. Kies vervolgens voor** *Publiceren op Windows Live Spaces*.
2 **Vul uw accountgegevens in en klik op [Aanmelden].**

3 **Typ een albumtitel en bepaal (zonodig) wie er gemachtigd zijn het album te bekijken via** *Machtigingen voor album instellen*.

4 **Klik achtereenvolgens op [Opslaan] en op [Publiceren]. U moet nu even wachten, want de foto's worden geüpload.**

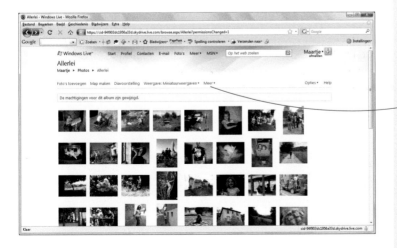

5 **Is het gelukt dan klikt u op [Album weergeven].**
6 **Uw webalbum wordt geopend.**
7 **Wilt u mensen uitnodigen om uw album te bekijken, klik dan op [Meer] en kies** *Link verzenden*.

⚠ Wilt u iets aan het album veranderen dan moet u aangemeld zijn. Doe dit zonodig via *Aanmelden* (rechts bovenin).

**8** Typ de e-mailadressen, druk op de <Tab>-toets om deze te bevestigen. Heeft u adressen in uw adressenboek staan, gebruik dan de knop [Aan] om e-mailadressen te selecteren.
**9** Klik op [Verzenden].

---

※ Voordat u een uitnodiging verzendt, kunt u het best even testen of alles loopt zoals u dat wilt. Stuur eerst een uitnodiging naar uw eigen e-mailadres en controleer het resultaat.

**1** Start Picasa.
**2** Als er nog niemand is aangemeld, ziet u rechtsboven de link *Aanmelden bij Webalbums*. Klik hierop om u aan te melden.
**3** Vul gebruikersnaam en wachtwoord van uw Google-account in. Voortaan kunt u zich aanmelden met de knop [Aanmelden].
**4** Zodra u bent aangemeld, zal rechts bovenaan uw account verschijnen, met daarachter de links *Screensaver*, *Webalbums* en *Afmelden*.

※ Met de *Screensaver* kunt u de geüploade foto's als screensaver gebruiken. Na een wachttijd van 1 minuut wordt de Google-screensaver gestart, die uw foto's in willekeurige volgorde toont.

### 7.4b Picasa-webalbum

Met Picasa 3 kunt u uw fotocollecties in een webalbum plaatsen. U kunt hier standaard ongeveer 1000 foto's kwijt. Voor het uploaden kunt u de grootte van de afbeeldingen instellen, zodat het aantal foto's ook nog groter of kleiner kan zijn. Handig is dat u de foto's niet vooraf met een beeldbewerkingsprogramma hoeft te verkleinen. Picasa-webalbum doet dit automatisch voor u als u dat wilt.

*Webalbum aanmaken*

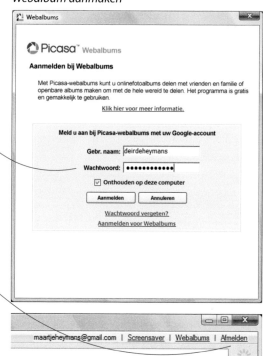

*Foto's uploaden*
Om foto's naar uw Picasa-webalbum te uploaden doet u het volgende.

1 **Selecteer de foto's die u wilt uploaden.**
2 **Klik op [Uploaden] onderaan in het venster.**
3 **Klik in het volgende venster op [Nieuw] om een nieuw album aan te maken of selecteer een bestaande albumnaam onder de keuze** *Dit album downloaden*. **Heeft u de eerste optie gekozen dan kunt u een albumtitel en beschrijving voor het album invullen.**
4 **Onder** *Grootte om te uploaden* **kunt u aangeven of u de foto's wilt uploaden in oorspronkelijk formaat, groot formaat (**Aanbevolen: afdrukken, screensavers en delen**), in gemiddeld formaat (**Om te delen**) of in klein formaat (**Blogs en webpagina's**). Maakt u hier geen keuze dan wordt de standaardinstelling gebruikt (groot formaat).**
5 **Onder** *Zichtbaarheid voor dit album* **staan drie opties:** *Openbaar, Niet vermeld* **en** *Voor weergave is aanmelding vereist*. **(zie kader)**

**Openbaar** Iedereen die de URL van uw album heeft, kan het bekijken (picasaweb.google.nl/accountnaam).
**Niet vermeld** Hiermee krijgt het album een webadres met een sleutelcode van letters en cijfers. Alleen personen die deze versleutelde URL van u krijgen kunnen het adres vinden.
**Aanmelding vereist** Albums met de optie *Aanmelding vereist voor weergave* kunnen alleen bekeken worden door personen die u daarvoor toestemming geeft. Zij moeten daarnaast een Gmail-account hebben en zich hiermee aanmelden, zodat hun identiteit bekend is.

6 **Klik op [Uploaden]. Als het uploaden gelukt is, klikt u op [Online bekijken].**
7 **Nu worden de foto's in het webalbum getoond.**

**8** Wilt u op een later moment foto's aan dit album toevoegen, selecteer deze dan en klik opnieuw op [Uploaden]. Selecteer het album waaraan u de foto's wilt toevoegen en herhaal de voorgaande stappen.

*Instellingen in het album*

Instellingen (zoals de volgorde) maakt u in het webalbum zelf. Rechts in het venster ziet u de naam van uw album staan. Standaard wordt de eerste foto voor het omslag gebruikt, maar u kunt dat eenvoudig veranderen.

**1** Klik op [Bewerken] en kies uit het snelmenu *Albumomslag*.

**2** Klik op de foto die u voor het omslag wilt gebruiken. Wanneer u op een foto klikt, wordt deze vergroot weergegeven.

3 Met de knoppen [Volgende] en [Vorige] kunt u vooruit- of terugbladeren.
4 Onder de foto ziet u de tekst *Een bijschrift toevoegen*. Klik hierop om een tekst toe te voegen.
5 Klik op [Bijschrift opslaan] om het bijschrift te bewaren.
6 De bijschriften zullen onder de foto's getoond worden tijdens de diapresentatie. Deze kunt u starten met de knop [Diavoorstelling].

**✳ Bijschriften offline invoegen**
Misschien nog handiger dan het invoeren van bijschriften in bestanden die al geüpload zijn, is het toevoegen van bijschriften vooraf. Dubbelklik daartoe op de foto waarvoor u het bijschrift wilt maken en vul het onder de foto in. Het bijschrift wordt automatisch bij de oorspronkelijke foto bewaard en is na het uploaden zichtbaar in het webalbum.

7 Met de <Esc>-toets onderbreekt u de diavoorstelling en keert u terug naar het overzicht met foto's.
8 Met de knoppen bovenaan kunt u de foto linksom en rechtsom roteren, u kunt een link van de foto verzenden naar een e-mailadres (foto delen) en u kunt in- en uitzoomen.
9 Met de knop [Album weergeven] keert u terug naar het album.

*Albums synchroniseren*
U heeft zojuist een Picasa-webalbum aangemaakt met verschillende foto's. U kunt uw offline album in Picasa zodanig instellen dat aanpassingen automatisch in het gelijknamige webalbum worden doorgevoerd. Dit gaat als volgt.

1 Selecteer het album dat u wilt synchroniseren.
2 Klik op [Websynchronisatie] ( 🔘 ) rechts in het venster.
3 Klik in het volgende venster op de knop [Ja]. U accepteert hiermee de standaardinstellingen voor synchronisatie.

**4  Hierna zal het webalbum automatisch worden bijgewerkt. Om dit te bekijken, klikt u op [Online bekijken] (rechts in het venster).**

*Uitnodiging verzenden*
Is uw album klaar en wilt u dat het bekend wordt bij familie en vrienden, gebruik dan de knop [Delen] rechts in het venster. Daarmee verzendt u een e-mail met een link naar het webalbum. Vul de benodigde gegevens in (gebruik als scheidingsteken een komma als u meerdere adressen invult) en klik op de knop [E-mail verzenden] om het bericht te verzenden.

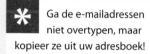
Ga de e-mailadressen niet overtypen, maar kopieer ze uit uw adresboek!

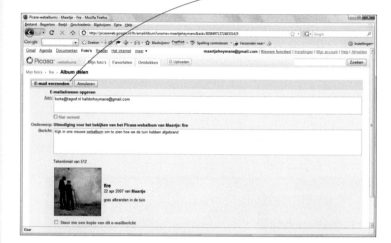

De ontvangers kunnen zich met de knop [RSS] die rechts van het album verschijnt abonneren op het online album. Op deze wijze kunnen ze het op ieder moment bekijken en blijven ze op de hoogte van wijzigingen die u doorvoert.

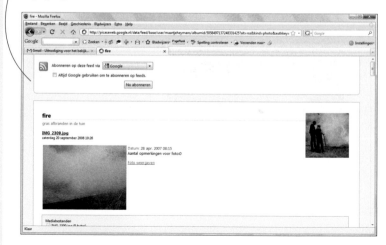

Als de ontvanger bij *Abonneren op deze feed via* de optie *Livebladwijzers* kiest dan zal in de Google-bladwijzerbalk een knopje verschijnen met de naam van het album. Hiermee heeft hij voortdurend direct toegang tot de laatste versie van het webalbum.

### 7.4c Flickr

Flickr bevat een enorme hoeveelheid foto's, gemaakt door mensen over de hele wereld. Als u over een plaats of een onderwerp een foto zoekt, is de kans groot dat u op Flickr iets geschikts vindt. Op Flickr kunt ook u foto's plaatsen en ze naar wens delen met anderen. Het enige nadeel is de voertaal: Nederlands is (nog) niet beschikbaar.

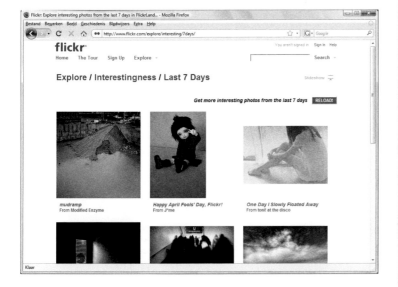

1  **Open flickr.com.**
2  **Klik op [the last 7 days].**
3  **Dit is een snelle manier om te bekijken welke foto's er de laatste week zoal zijn geüpload. Deze pagina zal dus iedere keer andere foto's tonen. Wilt u meer zien, klik dan op [Reload].**

4  **Klik op een foto om hem beter te kunnen bekijken.**

U krijgt nu meer informatie over de foto. Rechts wordt kort iets getoond over degene die de foto heeft geplaatst en welke foto's hij nog meer beschikbaar heeft. Onder de foto staat commentaar van bezoekers. Boven de foto staat (als de fotograaf dit heeft ingesteld) een vergrootglas om de foto groter te bekijken.

Als u foto's op Flickr wilt plaatsen, moet u eerst een account aanmaken. Met een gratis basisaccount kunt u al veel foto's online plaatsen – betaald upgraden kan altijd nog. U kunt per keer zes foto's plaatsen en de foto's mogen ieder niet groter zijn dan 5 MB. U kunt iedere maand maximaal 100 MB plaatsen (betaalde accounts mogen grotere foto's plaatsen en hebben deze limiet niet).

Bij het uploaden van foto's kunt u aangeven of ze gezien mogen worden door vrienden (*Visible to Friends*), familie (*Visible to Family*) of iedereen (*Public*).

### 7.4d  *Locr*

Ook op Locr kunt u uw foto's onderbrengen en naar keuze delen met de hele wereld, vrienden of ze juist voor uzelf houden. Per maand kunt u 100 MB foto's plaatsen, maar naar verwachting zal de opslagruimte groeien. Locr biedt al wat Nederlandstalige ondersteuning, maar de vertaling is nog niet geheel doorgevoerd. U treft nog vaak onderdelen en teksten in het Engels aan, maar het is een stap op de goede weg.

Een handig aspect (dat geldt overigens ook voor Flickr: zie *Explore > World Map*) is dat foto's met geotags (zie §5.5) automatisch herkend worden en de locatie naast de afbeelding zichtbaar is. Verder is het leuk dat u ook foto's kunt zien die in de nabije omgeving van uw foto's zijn gemaakt. Op de downloadpagina (locr.com/clients/downloads.php) vindt u de links voor de software.

Ook heel slim is dat men inhaakt op de mogelijkheid om foto's van uw mobiele telefoon naar Locr te sturen. Om te zien of er voor uw telefoon (merk & type) software bestaat, moet u op de internetpagina kijken voor de meest actuele informatie hierover. Deze informatie is ook te vinden op de downloadpagina, u moet dan wel iets naar beneden scrollen.

### 7.4e   *Panoramio*
Panoramio is geheel Nederlandstalig. Het programma werkt net als Locr met geotags – voor Panoramio is het eigenlijk de hoofdfunctie: het koppelen van foto's aan plaatsen. Dus als u ergens heengaat of ergens beelden van wilt zien, is Panoramio de site om alvast wat indrukken op te doen. Het is een soort fotografische atlas. Het duidelijke overzicht van pinnetjes op de landkaart om een bepaald object heen maakt dat u goed kunt zien vanuit welke hoek de foto's gemaakt zijn.

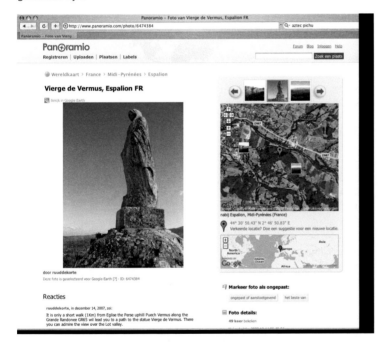

Ook Panoramio is een gratis dienst waarop iedereen terecht kan. U kunt er tot 2 GB aan foto's kwijt, en dat is heel wat. Panoramio is al enige tijd geleden opgekocht door Google en wordt nu gebruikt om de fotolocaties in Google Maps en Google Earth te vullen. Maar het kan ruim een maand duren voordat een bij Panoramio geplaatste foto ook op Google Maps en Google Earth zichtbaar is. En er is geen garantie dat dit gebeurt, zeker niet als er al voldoende afbeeldingen van een locatie aanwezig zijn.

# Register

# Wegwijzer Consumentenbond

**Bijna dagelijks maken 550.000 leden gebruik van de informatie van de Consumentenbond. De Consumentenbond volgt aanbieders van producten en diensten op de voet en zit regelmatig aan de onderhandelingstafel met bedrijven en overheid. Volstrekt onafhankelijk en met slechts één doel: het behartigen van het belang van de consument… van u dus!**

Wij testen en vergelijken de meest uiteenlopende producten. U kunt daarmee soms honderden euro's besparen. De Consumentenbond staat voor informatie die objectief, betrouwbaar en deskundig is. Of het nu gaat om breedbeeld-tv's, digitale camera's, hypotheken of medische zorg: als lid van de Consumentenbond bent u altijd beter uit.

### Kies zelf uw lidmaatschap (prijzen 2009)

Als u per 1 januari 2009 lid wordt van de Consumentenbond heeft u toegang tot alle online testresultaten en koopadvies op maat via Consumentengids Online, het exclusieve gedeelte op onze site alleen voor leden. U logt eenvoudig in via www.consumentenbond.nl.
U heeft de keuze uit een van onderstaande lidmaatschapsvormen.

### Consumentengids inclusief Consumentengids Online (inclusief mobiel internet)

In de Consumentengids vindt u objectieve tests en deskundig, onafhankelijk advies over uiteenlopende producten en diensten. De Consumentengids verschijnt jaarlijks 11 keer, inclusief het dikke zomernummer. Met toegang tot alle online testresultaten en koopadvies op maat via Consumentengids Online, het exclusieve ledengedeelte op onze site. **Prijs: €58 per jaar.**

### Geldgids inclusief Consumentengids Online (inclusief mobiel internet)

De Geldgids geeft u heldere en objectieve informatie over onder meer pensioenen, belastingen, hypotheken, sparen en verzekeringen. De Geldgids verschijnt jaarlijks 8 keer, inclusief de 'Belastinggids' en de special 'Eigen woning'. U heeft ook toegang tot alle online testresultaten en koopadvies op maat via Consumentengids Online, het exclusieve ledengedeelte op onze site. **Prijs: €58 per jaar.**

### Digitaalgids inclusief Consumentengids Online (inclusief mobiel internet)

Wilt u de juiste keuze maken bij aanschaf van hardware en software en wilt u meer met uw pc? De Digitaalgids vergelijkt abonnementen voor internetbellen, pc's, printers, software en staat boordevol tips. De Digitaalgids verschijnt jaarlijks 6 keer. U heeft ook toegang tot alle online testresultaten en koopadvies op maat via Consumentengids Online, het exclusieve ledengedeelte op onze site. **Prijs: €58 per jaar.**

### Gezondgids inclusief Consumentengids Online (inclusief mobiel internet)

Wilt u bewust en gezond leven? Onze Gezondgids helpt u met tests van voeding, praktische hulpmiddelen en therapieën en informatie hoe u kwalen voorkomt en in conditie blijft. De Gezondgids verschijnt jaarlijks 10 keer (inclusief twee extra dikke themanummers). U heeft ook toegang tot alle online testresultaten en koopadvies op maat via Consumentengids Online, het exclusieve ledengedeelte op onze site. **Prijs: €58 per jaar.**

### Reisgids inclusief Consumentengids Online (inclusief mobiel internet)

Met de Reisgids krijgt u niet alleen informatie om bij weg te dromen. Dankzij tests, prijspeilingen en kritische inspecties ter plekke kunt u meteen op stap en weet u welke adressen en maatschappijen u beter kunt mijden. De Reisgids verschijnt jaarlijks 6 keer (exclusief de themaspecial). U heeft ook toegang tot alle online testresultaten en koopadvies op maat via Consumentengids Online, het exclusieve ledengedeelte op onze site. **Prijs: €58 per jaar.**

### Consumentengids Online (inclusief mobiel internet)

Wat is het beste ziekenhuis? Of de goedkoopste lijfrentepolis? Via Consumentengids Online, het exclusieve ledengedeelte op onze site, heeft u toegang tot alle online testinformatie en koopadvies op maat. U weet direct wat voor ú de beste keuze is. Gegarandeerd onafhankelijk en betrouwbaar. U logt eenvoudig in via www.consumentenbond.nl. **Prijs: €43 per jaar.**

### De voordelen op een rij

Welk abonnement u ook kiest, u bent altijd lid van de Consumentenbond en profiteert van aantrekkelijke ledenvoordelen:
- Toegang tot Consumentengids Online.
- Gratis persoonlijk advies, per telefoon of e-mail, over alle door ons geteste producten en diensten.
- Groepsbemiddeling bij problemen met een leverancier.
- Ledenkorting – tot wel 30% – op al onze boeken.
- Gratis wekelijkse digitale nieuwsbrief met actuele informatie, handige tips en adviezen.

### Aanvullende informatie? Dat kan!

Als abonnee van de Consumentengids inclusief toegang tot Consumentengids Online kunt u een extra abonnement nemen op onze andere gidsen.

### Jaarprijzen voor Consumentengidsleden (2009)

| | |
|---|---|
| Geldgids | €36 |
| Reisgids | €29 |
| Digitaalgids | €29 |
| Gezondgids | €29 |
| Belastinggids 2009 | €14,50 (prijs tot 15 januari 2010) |
| Testjaarboek 2009 | €10,50 (prijs tot 1 november 2009) |

Heeft u alléén een abonnement op Consumentengids Online, dan betaalt u voor het eerste extra gidsabonnement (Consumentengids, Geldgids, Digitaalgids, Gezondgids of de Reisgids) slechts €15 per jaar.

### Hoe kunt u ons bereiken?

Voor *wijzigingen en algemene vragen* kunt u terecht bij de afdeling Service en Advies, bereikbaar van maandag t/m donderdag (09.00 – 21.00 uur), vrijdag (09.00 – 17.30 uur). Telefoon (070) 445 45 45, fax (070) 445 45 96, postadres Postbus 1000, 2500 BA Den Haag, kantoor Enthovenplein 1, Den Haag, internet www.consumentenbond.nl, contact www.consumentenbond.nl/contact.
Voor *persoonlijk advies* (alleen voor leden) kunt u terecht bij de afdeling Service en Advies, bereikbaar van maandag t/m donderdag (09.00 – 21.00 uur), vrijdag (09.00 – 17.30 uur).
Telefoon (070) 445 40 00, contact www.consumentenbond.nl/contact.

**Consumentenbond**

*Dan weet je het.*

# Andere boeken

**Geld & verzekeringen**
200 Gouden bespaartips
Handboek voor huiseigenaren
Het nieuwe sparen
Jaarboek Geld 2009
Meer geld uit uw geld
Overlijden
Prettig blijven wonen
Samen rijk worden
Samenwonen of trouwen?
Scheiden
Slim nalaten en schenken
Uw geldzaken online

**Gezondheid & voeding**
De beste behandeling
Fit en gezond
Gezond eten voor senioren
Greep op de overgang
Het juiste medicijn
Koken met de Consumentenbond
Lekker en licht eten
Medisch onderzoek van A tot Z
Zelf dokteren

**Computers & internet**
Haal meer uit uw pc
Handig met internet
Internet & reizen
Klussen aan uw computer
Maak uw collecties digitaal
Muziek uit uw computer

**Diversen**
125 Klussen voor iedereen
250 Gouden energiebespaartips
500 Handige huishoudtips
Kiezen, kopen en klagen
Testjaarboek 2009
Vlekken- en schoonmaakwijzer
Zelf klussen – Buitenonderhoud
Zelf klussen – Ruimte winnen in huis

Leden van de Consumentenbond ontvangen korting op deze boeken. U bestelt ze via Service & Advies, tel. (070) 445 45 45 of via internet: www.consumentenbond.nl/webwinkel. Bent u lid? Houd dan uw lidmaatschapsnummer gereed. We zijn op werkdagen van 9 tot 21 uur bereikbaar (vrijdag tot 17.30 uur). Voor bestellingen en aanmeldingen als lid kunt u verder 24 uur per dag gebruikmaken van de voicemail of onze website.

**Consumentenbond**

*Dan weet je het.*